ILLUMINATIONS
à travers les textes sacrés

DU MÊME AUTEUR

(voir en fin de volume)

PHILIPPE SOLLERS

ILLUMINATIONS
à travers les textes sacrés

ROBERT LAFFONT

Il a été tiré sur Yearling blanc
cinquante exemplaires
numérotés de 1 à 50.
Ce tirage constitue l'édition originale.

© Éditions Robert Laffont, S.A., Paris, 2003
ISBN 2-221-09746-7

Pour Stéphane Barsacq

« Les paroles essentielles sont des actions qui se produisent en ces instants décisifs où l'éclair d'une illumination splendide traverse la totalité d'un monde. »

Martin Heidegger,
Schelling (semestre d'été 1936)

« Il y avait eu une discussion en classe visant à savoir qui, de Schelling et de Hegel, surpassait l'autre – une discussion plutôt stupide. On ne discutait pas des systèmes philosophiques, mais on parlait de l'opinion d'Ekaterina Mikhaïlovna.

– Va lui demander, me disaient les copains avec insistance.

J'étais le secrétaire du cercle dramatique.

– Allez-y vous-mêmes !

– Elle ne nous le dira pas, à nous.

J'allai résolument trouver Mikhaïlovna et lui demandai : "Ekaterina Mikhaïlovna, qui préférez-vous : Schelling ou Hegel ?

– C'est pour vous que vous me le demandez ?

– Oui, lui répondis-je en rougissant.

– Schelling", articula Mikhaïlovna tout bas et avec ferveur, et je sentis qu'elle répondait là à une question qui lui tenait personnellement à cœur.

La victoire des traditions hégéliennes retentissait déjà dans toutes les écoles du parti soviétique du pays. Bientôt se référer à Schelling serait synonyme de déviation, et passible de poursuites. »

Varlam Chalamov,
La Quatrième Vologda

« Après cela je vis un ciel nouveau et une terre nouvelle. Car le premier ciel et la première terre avaient disparu, et la mer n'était plus.

Et moi Jean, je vis la ville sainte, la nouvelle Jérusalem, qui venait de Dieu, descendait du ciel, étant parée comme une épouse qui se pare pour son époux.

Et j'entendis une grande voix qui venait du trône, et qui disait : Voici le tabernacle de Dieu avec les hommes ; et il demeurera avec eux, et ils seront son peuple, et Dieu, demeurant lui-même au milieu d'eux, sera leur Dieu.

Dieu essuiera toutes les larmes de leurs yeux, et la mort ne sera plus. Il n'y aura plus aussi là ni pleurs, ni cris, ni afflictions, parce que le premier état sera passé.

Alors celui qui était assis sur le trône dit : Je m'en vais faire toutes choses nouvelles. Il me dit aussi : Écris. »

L'Apocalypse est l'œuvre de saint Jean, sous le règne de Néron, peut-être de Domitien, aux alentours de 95, au large de l'Asie Mineure dans l'île de Patmos.

*
* *

Dix-sept siècles plus tard, de retour d'un séjour à Bordeaux, un jeune poète allemand, Friedrich Hölderlin, compose, en mémoire de la prophétie johannique, un poème resté inachevé : *Patmos*. Avec lui, la levée du voile trouve son lieu et sa formule – une nouvelle fois. Ce qui ne signifie nullement une fois de plus.

« Du Jourdain et de Nazareth
Et du lac au loin, vers Capernaüm,
Et de Galilée, les brises, et de Cana.
Je suis ici pour peu de temps, dit-il. Ainsi, d'une
                                                    [goutte
Il apaisa le soupir de la lumière, pareille aux bêtes
                                                    [sauvages
Altérées, dans ces jours où la Syrie
Entendait de ses petits enfants qu'on égorge
Gémir la grâce agonisante, et le chef du Baptiste,
                                        [comme une fleur
Cueilli sur un plat immobile était visible
Tel un impérissable écrit. Les voix de Dieu ressemblent
À du feu. Mais c'est tâche difficile, en ce qui
Est grand, de maintenir la grandeur, Et non point
Délectation. Que l'un s'attarde
Au début. Mais aujourd'hui ces choses
Vont de nouveau comme jadis.

Jean. Le Christ. C'est lui que je voudrais
Chanter, lui, pareil à Hercule ou
À l'île qui retint et sauva Pélée, le confortant,

Toute proche, de fraîches vagues marines, hors du
                                                 [désert
Des flots, des flots immenses. Mais cela
Ne va pas. Une destinée est quelque chose
D'autre. De plus merveilleux.
De plus riche à chanter. Vertigineuse
Depuis lors s'ouvre la fable. Et maintenant
Je voudrais chanter le voyage des seigneurs vers
Jérusalem, et la douleur errante à Canossa
Et l'empereur Henri. Mais que mon propre élan
Ne m'abandonne ! C'est cela qu'il nous faut
                                             [comprendre
Tout d'abord. Car les noms depuis le Christ sont
                                             [pareils
Au souffle du matin. Ils se font rêves. Ils tombent
                                           [comme l'erreur
Sur notre cœur et tuent, s'il n'est personne

Pour scruter leur nature et les comprendre. Mais
Les prunelles attentives de l'homme contemplèrent
Le visage du dieu,
Quand s'accomplit le mystère du cep, et tous
                                           [ensemble
Ils étaient assis à l'heure de la Cène,
Et dans sa grand âme le Seigneur
Ayant choisi, sa mort par lui fut proférée
Et son suprême amour. Car ses lèvres n'étaient jamais
                                           [lasses
De miséricordieuses paroles, ni d'affirmer ce qui
                                           [affirme.
Mais sa lumière était

La mort. Car mesquin est le courroux du monde.
Mais il savait ces choses. Tout est bien. Puis il
                                        [mourut.
Mais ses amis cependant purent contempler la
                                        [personne
Une dernière fois de Celui qui se renonçait,
Courbé devant Dieu comme un siècle qui s'humilie,
Pensivement, dans la joie de la vérité. »

I

Aller à l'Esprit – peu importe comment, si par en haut, si par en bas, mais y aller –, tel est le commandement essentiel, volontairement oublié, d'*Une saison en enfer*. L'Esprit ? Cette vue du monde, cet invisible, cet ineffable, ce point fixe dans la dispersion du sens et qui le renouvelle en le créant ? Pouvons-nous l'atteindre ? Joindre la totalité du poème ? L'essentiel est d'abord dans cette démarche rayonnante que nous définissons selon le mode précis de l'illumination. Le terme du voyage ? Le lieu de l'origine, la découverte de ce principe éclairant du cœur et de l'âme, dans un monde dépourvu de l'un et de l'autre. « Quand le monde sera réduit en un seul bois noir pour nos quatre yeux étonnés, en une plage pour deux enfants fidèles, en une maison musicale pour notre claire sympathie, je vous trouverai. »

On y va ? On y va. Alors partons. Embrassons l'aube d'été. Seuls ? À tâtons ? Nullement. Pour cette quête, pour cette approche du sacré, préparons notre équipage.

Engageons quatre cavaliers. J'ai nommé Rimbaud, Nietzsche, Hölderlin et Heidegger. Pourquoi eux, me dites-vous ? Parce qu'ils sont essentiels à toute tentative de discernement. Parce que les écarter interdit *de facto* toute possibilité de comprendre quoi que ce soit à l'énorme archive qui parle de Dieu, des dieux, du divin, de sa révélation ou de son style dans toutes les langues. Parce que ces quatre auteurs, aux visions qui fécondent et foudroient, nous mèneront par paliers successifs aux Textes anciens ; leurs œuvres sont de « l'âme pour l'âme », elles nous en montrent la voie. Nos chemins traverseront la Bible et les Évangiles. Nous emprunterons des passerelles pour franchir les espaces entre le Livre, les Livres, l'Inde et la Chine, sans oublier les penseurs Éléates et Ioniens. Le trajet vous semble capricieux ? Le point de départ volontiers subjectif ? Eh bien, non. Et même au contraire.

Car enfin, il s'agit toujours d'élargir notre visée. Et ces poètes, ces philosophes, situés dans la modernité, ancrés dans la modernité, ont pensé au plus près *l'immémorial*. Il est donc essentiel d'interroger leurs écrits en ce qu'ils ont de plus prophétique. Quelques preuves pour vous en convaincre ? Quelques mots en guise de viatique, pour vous préparer au voyage ? Eh bien, d'accord, voici quelques éclats :

Que dit Rimbaud ?

« Ô le plus violent Paradis. »

Et Hölderlin ? Écoutons-le :

« C'est cela qu'il nous faut comprendre
Tout d'abord. Car les noms depuis le Christ sont
[pareils
Au souffle du matin. Ils se font rêves. Ils tombent
[comme l'erreur
Sur notre cœur et tuent, s'il n'est personne
Pour scruter leur nature et les comprendre. »

Et Nietzsche ?

« Il nous faut être nous-mêmes, comme l'est Dieu, justes, gracieux, solaires envers toutes choses et les créer toujours nouvelles telles que nous les avons créées. »

Puis Heidegger ?

« Que Dieu et le divin nous manquent, c'est là une absence. Seulement l'absence n'est pas rien, elle est la présence – qu'il faut précisément s'approprier d'abord – de la plénitude cachée de ce qui a été et qui, ainsi rassemblé, est : du divin chez les Grecs, chez les prophètes juifs, dans la prédication de Jésus. Ce "ne... plus" est en lui-même un "ne... pas encore", celui de la venue voilée de son être inépuisable. »

Convaincus, enfin ? Alors partons ! Et au terme de cette navigation, par-delà les océans de paradoxes, « retirés de nos horreurs économiques », nous verrons si nous pouvons avoir l'expérience, non de ce que Dieu a été, mais du séjour d'où a émergé son hypothèse. Et peut-être déciderons-nous, comme l'a fait le Zarathoustra imaginé par Nietzsche, de son sort.

Car enfin, Dieu est-Il mort ? À demi vivant ? À naître ?
Et si ces trois questions n'en formaient qu'une ?

II

Ce livre s'intitule *Illuminations,* en hommage à Arthur Rimbaud (1854-1891). Enfant direct de son siècle qui, en plein Parnasse, voit s'accomplir la défaite nationale, Rimbaud fait éclater et retomber en poussière – véritable œil de la catastrophe – ce siècle tout entier. Léguant à vingt ans une œuvre du génie le plus mâle et de la plus haute maturité ; ami socratique de Verlaine ; compagnon de Germain Nouveau ; détruisant, par un suicide différé, celui que nous préférons ; devenant un aventurier des Tropiques, agent de la maison Viannay, Bardey, Mazeran et Cⁱᵉ, d'une nature absolument quelconque, puis mourant chrétiennement, selon sa sœur Isabelle, au milieu des pires souffrances, celles d'un cancer des os : voilà les étapes obligées de la biographie d'un « être de beauté », *Being Beauteous,* pur jusque dans la détresse, qui s'est pleinement incarné à la joie du mystère. Visant « l'âme pour l'âme », ce jeune Français, qui se jugeait de « race inférieure » (allant jusqu'à préciser « de toute éternité »), est simplement le plus grand poète de tous les temps. Prodige sans second en

Occident, il a composé une œuvre sans pareille à l'octave d'Orphée. On a déjà beaucoup écrit de lui, direz-vous, des bibliothèques entières, de quoi décourager plusieurs vies de chercheurs, ficheurs, fouineurs, fouilleurs, charmants (et très utiles) grignoteurs de feuillets jaunies – mais le plus souvent pour masquer ce qu'il a dit, ou, ce qui revient au même, pour s'interroger sur son silence ; jamais, ou si peu, sur ce qu'il a écrit. Deux manières d'éviter une lecture possible, par définition défendue, mais rendue aujourd'hui d'autant plus urgente. De Rimbaud, « maître en fantasmagorie », on a tout dit, et le contraire de tout. Au-delà de l'absurde – du Bien comme du Mal. *Much ado about nothing.* Citons quelques exemples de certaines dévotions suscitées par celui que Victor Hugo aurait appelé « Shakespeare enfant » ; Mallarmé le décrit comme un « passant considérable », un « démon adolescent », un « anarchiste par l'esprit » ; Verlaine comme un « ange en exil » ; Claudel comme un « mystique à l'état sauvage » ; et Breton comme un « véritable dieu de la puberté ». Depuis, rebelle des rebelles, sans retour, ni détour, l'étoile Rimbaud n'a fait que s'obscurcir, en proportion inverse de sa lumière *définitive.* On l'a affublé de tant d'habits, de tant d'oripeaux, que ceux-ci lui font un splendide costume d'Arlequin : tour à tour voyant, voyou, névrosé, aliéné, enivré, mauvais sang et mauvais Français ; ou au choix : ardennais, abyssin, alchimiste, matérialiste, coupable, pervers, et enfin papiste (pour les uns), communard (pour les autres). Mais n'est-ce pas oublier à chaque fois que, selon sa propre formule, Rimbaud est d'abord un « autre » ? Situé « en avant » ?

Que seul, « intact » – ni damné, ni réprouvé –, il a « la
clef » de « cette parade sauvage ». Lui-même d'ailleurs
s'est parfaitement défini à grands traits : un « inventeur »,
un « musicien même », un « fils du soleil », un « voleur
de feu », un « enfant gêneur », un « grand malade »,
« un opéra fabuleux », un « barbare », un « nègre », une
« bête ». Ou encore : un « sans cœur » – ni « mage », ni
« ange » –, un « paysan » – vous avez bien lu, un
« paysan ». « La main à plume vaut la main à charrue. »
Rien qui rappelle l'image pieuse d'un saint de catéchèse
ou de calendrier. D'où cette question paradoxale : en
quoi Rimbaud figure-t-il la sainteté à venir ? À moins
qu'il ne faille envisager une autre hypothèse, plus
radicale, qui consisterait à redéfinir, rétrospectivement,
la notion de sainteté à partir de lui ? Car, qu'est-ce
qu'un saint, sinon un homme qui sanctifie la vie ?

Dans un texte daté de 1974, Heidegger pointe l'essentiel : « Entendons-nous avec une suffisante clarté,
dans le Dit de la poésie d'Arthur Rimbaud, ce qu'il a
tu ? Et voyons-nous là déjà, l'horizon où il est arrivé ? »

Imaginons les réponses d'Arthur Rimbaud à ces
deux questions :
  « C'est vrai ; c'est à l'Éden que je songeais ! »

Ou encore :
« Je suis le savant au fauteuil sombre... »

À moins qu'il n'ait préféré :
« Je suis le piéton de la grand-route... »

Et celle-ci ?
« Je serais bien l'enfant abandonné... »

Non pas, il en est une autre, plus étrange celle-là :
« Je suis le saint, en prière sur la terrasse... »

*

Que notre Odyssée débute donc par le poème d'Arthur Rimbaud *À une raison*. D'emblée, pour éviter toute dérive étroitement mystique, ou spiritualiste.

« Un coup de ton doigt sur le tambour décharge tous les sons et commence la nouvelle harmonie.

Un pas de toi, c'est la levée des nouveaux hommes et leur en-marche.

Ta tête se détourne : le nouvel amour !
Ta tête se retourne, – le nouvel amour !

"Change nos lots, crible les fléaux, à commencer par le temps", te chantent ces enfants. Élève n'importe où la substance de nos fortunes et de nos vœux on t'en prie.

Arrivée de toujours qui t'en iras partout. »

Rimbaud appelle à la création d'une nouvelle raison. S'agit-il de rejeter la nôtre ? Nullement. Il s'agit de l'ouvrir, non seulement à un dépassement d'elle-même, mais encore à une aventure qui, dès lors, ne se conçoit

pas sans un « nouvel amour ». Rimbaud le dit ailleurs :
« L'amour est à réinventer. »

Ce que raconte, littéralement, et dans tous les sens,
À une raison ? Ceci de proprement révolutionnaire : il
y aurait une ancienne raison qui nous empêcherait
d'avoir accès à l'illumination, désirée, appelée dans
un « chant » : « la vie enfin changée ». « "Change nos
lots, dit le poème, crible les fléaux, à commencer par le
temps" te chantent ces enfants. » « Changer » et
« chanter » sont parmi les mots clefs du poème, qui
célèbre d'abord « la nouvelle harmonie ». Ce qui
explique que, dès l'incipit, Rimbaud ait invoqué la
musique et toutes les propriétés eurythmiques de la
section dorée de l'arithmétique.

Le poète tutoie donc cette « Raison », majuscule et
anonyme, de la même façon qu'il s'est donné seul les
moyens de tutoyer son âme dans *Une saison en enfer*.
Au fait, vous rappelez-vous la dernière phrase d'*Une
saison en enfer* ? Cette phrase que Rimbaud a pris soin
de souligner : « et il me sera loisible de posséder la vérité
dans une âme et un corps. »

Posséder la vérité ? Tutoyer son âme ? Mais de quoi
parle-t-on ? Simplissime simplicité. Écoutons encore :

Mon âme éternelle,
Observe ton vœu
Malgré la nuit seule
Et le jour en feu.

Ce quatrain est le deuxième du poème inséré dans le chapitre *Délires II*. Il commence ainsi, tel un rondeau :

Elle est retrouvée !
– Quoi ? – l'Éternité.
C'est la mer mêlée
Au soleil.

La suite ? Je me la répète tous les jours, c'est ma prière du matin :

Donc tu te dégages
Des humains suffrages,
Des communs élans !
Tu voles selon...

– Jamais l'espérance.
Pas d'orietur.
Science et patience,
Le supplice est sûr.

Il est question, d'après Rimbaud, de quelqu'un qui posséderait à ce point son âme qu'il pourrait lui fixer une fonction : celle d'« observer son vœu ». Le terme le plus important dans la phrase de la *Saison* ? « loisible », bien entendu. Donc : « loisible » d'une part, « tu voles selon » d'autre part. Le moins qu'on puisse dire, c'est qu'il s'agit là d'une déclaration stupéfiante. Cette âme qu'on peut tutoyer, qui apparaît comme « la vérité *dans une âme et un corps* », voilà qu'elle n'est plus dépendante en rien des « opinions humaines », ni des « communs élans ».

Autant dire qu'elle est très peu religieuse, puisque, dans sa percée, désormais, elle « vole selon... ». Propos que l'on retrouve ailleurs chez Rimbaud : « Moi, ma vie n'est pas assez pesante, elle s'envole et flotte loin au-dessus de l'action, ce cher point du monde. » Images merveilleuses de la liberté, cette « liberté libre ». *(Il faisait des romans sur la vie / Du grand désert où luit la liberté ravie)*, affranchie de toute pesanteur, donc de la « gravité ».

Ce qui peut sembler curieux ? Qu'il ne s'agisse pas d'espérance : « nul orietur » ; au contraire, « science et patience, le supplice est sûr ». Coupons court à toute idéalisation qui voudrait nier le supplice. Il est assuré. Son expérience se vérifie d'ailleurs chez tous les grands mystiques. Ainsi Hallâj, le prophète errant de Bagdad, condamné à mort, fouetté, crucifié et décapité en 922 : « Celui qui me convie, et qui ne peut passer pour me léser, m'a fait boire à la coupe dont Il but tel l'hôte traitant son convive. Puis, la coupe ayant circulé, Il a fait apporter le cuir du supplice et le glaive. Ainsi advient de qui boit le vin, avec le Lion, en plein été. »

Ainsi nous sommes dans la « science » et la « patience », au sens étymologique, celui de souffrance, ce qui n'empêche pas qu'on puisse tutoyer son âme éternelle. Rimbaud insiste :

Plus de lendemain
Braises de satin,
Votre ardeur
Est le devoir.

Nous voilà jetés dans un présent nouveau, une autre expérience du temps, puisque Rimbaud parle du « jour en feu », à quoi répondent les « braises de satin ». Le feu de l'enfer est devenu « jour en feu », cependant que Satin évoque Satan dépassé. Aussi, comme le temps, l'éternité vient-elle de changer de nature.

Elle est retrouvée !
– Quoi ? – l'Éternité.
C'est la mer mêlée
Au soleil.

En quelques vers, Rimbaud rend sensible une contradiction impressionnante. Il nous parle de quelqu'un qui tutoie son « âme éternelle », qui « vole selon », par une révélation illuminante, la nouvelle éternité – « la mer mêlée au soleil » –, tandis que, sur terre, chez les mortels, le supplice est sûr parmi les braises. Rimbaud relate cette expérience rare, qu'il exprime à travers deux exclamations :

« Enfin, ô bonheur, ô raison, j'écartai du ciel l'azur, qui est du noir, et je vécus étincelle d'or de la lumière *nature*. De joie, je prenais une expression bouffonne et égarée au possible. »

Rapprocher les mots bonheur et raison, comme précédemment, dans *À une raison*, raison et amour, voilà qui est très nouveau. D'ordinaire, le mot bonheur et plus encore le mot joie suggèrent davantage la folie (je suis fou de bonheur, elle est folle de joie). Fidèle à sa pensée, Rimbaud opère un retournement : c'est de la raison, prévient-il, que surgit le bonheur. Il est d'une précision éclatante lorsqu'il ajoute : « J'écartai du ciel l'azur, qui est du noir, et je vécus, étincelle d'or de la lumière *nature*. » Ce que dit le poète ? Quelque chose de très précis. Soudain, vous passez à travers le ciel, vous devenez à vous-même une lumière qui n'est plus artificielle, comme l'est celle de la terre. Cette « lumière nature » est dans le registre de « la mer mêlée au soleil ». (Rimbaud avait d'abord écrit « allée avec le soleil », avant de corriger par « mêlée », autrement évocateur, dans sa dimension incestueuse.) Il poursuit, *allegro affetuoso* : « De joie, je prenais une expression bouffonne et égarée au possible. » N'a-t-on pas l'impression de lire quelque chose comme le *Mémorial* de Pascal, ce bout de papier cousu dans ses vêtements, qu'on découvrit après sa mort, comme s'il avait eu peur d'oublier cette expérience de sa nuit de feu, le 23 novembre 1654 :

Dieu d'Abraham, Dieu d'Isaac, Dieu de Jacob, non
[des philosophes et des savants.
Certitude, Certitude, Sentiment, Joie, Paix
Dieu de Jésus-Christ.
Deum meum et Deum vestrum.
« Ton Dieu sera mon Dieu. »
Oubli du monde et de tout, hormis Dieu.

Il ne se trouve que par les voies enseignées dans
[l'Évangile.
Grandeur de l'âme humaine.
« Père juste, le monde ne t'a point connu, mais je
[t'ai connu. »
Joie, joie, joie, pleurs de joie.

Rimbaud sous les traits d'un bouffon ? Comme c'est étrange. Son « expression bouffonne et égarée », c'est sous l'effet de la joie qu'il la découvre ; en même temps, celle-ci le mène à la raison. On croirait entendre Spinoza, ce Pascal privé d'Église, à qui la démonstration géométrique tient lieu de foi en Dieu, au moment décisif où il adresse son *Éthique* aux fanatiques qui l'ont persécuté. Ce que dit Spinoza ? Précisément ceci – affirmation impardonnable : si les hommes se condamnent au malheur, c'est uniquement par manque de raison. La joie c'est la raison ; la raison la liberté ; et seule cette dernière peut rendre « bouffon et égaré ». Je cite l'*Éthique*, IIIᵉ partie, scholie de la proposition 11 : « Par Joie, j'entendrai donc la passion par laquelle l'esprit passe à une perfection plus grande ; par Tristesse au contraire, celle par laquelle il passe à une perfection moindre. » Nulle folie – au contraire, le sommet de l'être doué de raison. Merveilleuse raison que, plus tard, Rimbaud tutoie à nouveau comme il avait tutoyé son âme, en lui octroyant la particularité de redéfinir l'essence de la musique.

« Un coup de ton doigt sur le tambour décharge tous les sons et commence la nouvelle harmonie. »

Un coup de doigt suffit. S'agit-il du doigt que Jakob Boehme, à la fin de sa prière, plaçait devant la bouche ? Ou de l'index du Christ ? Rimbaud ne nous le dit pas. En fait, ce verset fait écho à l'épisode du Livre des Rois de la Bible. Juge avisé, Samuel unifie le peuple autour du sanctuaire de Silo, tandis qu'il combat les Philistins qui occupent la côte. Hostile à l'institution de la royauté – Dieu seul est roi –, Samuel finit par céder aux demandes réitérées des Israélites : il confère l'investiture royale à Saül. Mais ce dernier est agité par l'esprit malin. Avec ses musiques, l'écuyer David – le Dâwûd, « calife sur la terre », dont parle la sourate 38 du Coran – est, lui, le chantre de la gloire et de la miséricorde de Dieu. Alors, David est appelé pour jouer quelques airs à Saül :

« Ainsi toutes les fois que l'esprit malin envoyé du Seigneur se saisissait de Saül, David prenait sa harpe et en jouait ; et Saül en était soulagé, et se trouvait mieux ; car l'esprit malin se retirait de lui. »

Donc, un coup de doigt suffit. Pas un coup de tonnerre. D'ordinaire, un coup de doigt, qu'est-ce sinon un bruit imperceptible ? Mais, pour Rimbaud, il suffit à décharger tous les sons. Décharger, c'est-à-dire les remettre à plat. Du doigt, on passe au pied. « Un pas de toi. » Puis à la tête. « Ta tête se détourne : le nouvel amour ! Ta tête se retourne, – le nouvel amour ! » Ce dont il est question ? De la nouvelle harmonie, des nouveaux hommes, entendez de l'amour nouveau. L'âme tutoyée vole selon, elle se tourne, elle se retourne, ce qui entraîne le déploiement du nouvel amour. Celui-ci se reconnaît à ce qu'il lui suffit d'un doigt, d'un pas, d'un léger mouvement de la tête. Rien de grandiose, et tout est grandiose.

« "Change nos lots, crible les fléaux, à commencer par le temps", te chantent ces enfants. Élève n'importe où la substance de nos fortunes et de nos vœux on t'en prie. » Cette nouvelle raison fait chanter les enfants : elle indique le seuil d'un avenir possible. Avec son arrivée, il s'agit bien de changer le temps – ce que Heidegger, pour finir, a pensé sous le terme de *Temps et Être*. Le nouvel être de raison change le temps, de telle façon que la prière qui monte vers lui consiste à lui demander d'élever « n'importe où la substance de nos fortunes et de nos vœux ». Soulignons au passage le terme « élévation ». Rimbaud est imprégné du culte catholique. Il ne suffit pas de bavarder autour de sa biographie, en particulier de sa conversion hypothétique sur son lit d'hôpital à Marseille. Celle-ci, Rimbaud l'a sans doute consentie pour offrir à sa sœur Isabelle un mariage mystique.

Reposons-nous un instant. Offrons-nous une détente. Nous venons de franchir un palier. Nous sommes parvenus à la première étape de notre voyage. Cette halte est tout entière contenue dans ces mots :

« Arrivée de toujours qui t'en iras partout. »

Méditons-les. Nous en sommes certains maintenant : cette raison chantée par Rimbaud est tout autre chose que la Déesse Raison, installée en voile transparent sur l'autel de Notre-Dame de Paris à la Révolution, autre chose aussi que l'Être suprême ; de même, elle n'a rien à voir, tout en le subsumant, avec le culte catholique ni le pilier qui fera qu'un grand poète, Paul Claudel, après la lecture des *Illuminations*, découvrira l'innocence enfantine de Dieu. Cet alexandrin, « Arrivée de toujours qui t'en iras partout », on rêverait de le voir inscrit au fronton de tous les édifices importants de la planète, en lieu et place de « Aux grands hommes, la patrie reconnaissante ». Avec lui, il n'est question que de temps et d'espace, et ainsi du mystère de la pluralité et de l'unité de tous les êtres, du mouvement éternel du flux et du reflux, de la mer mêlée au soleil. Elle vient de toujours, cette nouvelle raison, de tous les toujours, elle est « toujourisante » selon l'expression forgée par Dante. Qu'arrive-t-il avec elle ? Des lendemains qui chantent ? Non, parce qu'il n'y a plus de lendemains, ce qui ne veut pas dire pour autant qu'il n'y ait plus d'histoire ni de futur. Le présent, désormais, voit arriver du toujours, qui s'en va aller partout. Ce qui arrivera avec elle ? La transfiguration de l'univers, disons-le. « Alors le cœur comprend que Celui qu'il voit / N'a jamais cessé de l'appeler vers Lui », serais-je tenté d'ajouter, citant ces deux paroles d'Ibn Arabî.

Paroles mystérieuses, dont nous trouverons la clef chez Heidegger et le titre de son livre, *Approche de Hölderlin*. Ce dont il est question dans cette œuvre magistrale, c'est naturellement que Hölderlin s'approche ; et non le fait que Heidegger tenterait d'approcher la présence énigmatique du poète. Qu'avons-nous tenté à notre tour ? Une approche de Rimbaud dans ce même sens : à travers ce qu'il a dit, Rimbaud s'approche de nous ; il nous arrive, vérité radicalement opposée à la volonté maniaque de ceux qui voudraient croire qu'il n'a fait que passer. *Has been*, Rimbaud ? Allons ! Qui a la prétention de se situer après lui, alors que nous sommes peut-être très en retard par rapport à lui, par rapport à ses illuminations surtout, splendeurs éclairantes que nous pourrions revivre, si, au lieu de dormir, nous restions éveillés. Car tel est l'état nécessaire pour aller à l'Esprit : l'Éveil.

III

À quoi bon des poètes, dira-t-on ? En 1946, dans un monde ruiné, voué à d'incessantes tueries, Heidegger tente de répondre à cette question. Il prévient : « C'est seulement dans le cercle plus vaste de ce qui est sauf, que peut apparaître le sacré. Parce qu'ils appréhendent la perdition en tant que telle, les poètes du genre de ces plus risquants sont en chemin vers la trace du sacré. Leur chant au-dessus de la terre sauve ; leur chant consacre l'intact de la sphère de l'être. » Il ajoute : « La détresse en tant que détresse nous montre la trace du salut. Le salut évoque le sacré. Le sacré relie le divin. Le divin approche le Dieu. Ceux qui risquent le plus appréhendent, dans l'absence de salut, l'être sans abri. Ils apportent aux mortels la trace des dieux enfuis dans l'opacité de la nuit du monde. »

La scène se passe à Bagdad. Hallâj se promène avec l'un de ses disciples le long d'un muret derrière lequel quelqu'un joue une musique, sublime : « Qu'est-ce que ceci, Maître ? » demande le disciple, enchanté par les sauts d'harmonie lumineux de la flûte. Et Hallâj de lui répondre : « C'est Satan qui pleure sur la beauté de ce monde. »

*
* *

Rimbaud nous a conviés à une expérience d'autant plus radicale que nous entrons dans une ère où la puissance du langage sera de plus en plus interdite à l'être humain. Dès lors, tout effort de résonance par rapport aux mots eux-mêmes peut, étrangement, devenir une expérience directe du divin. J'en veux pour preuve le beau livre de Roberto Calasso, *La Littérature et les dieux*. Les dieux ont déserté depuis bien longtemps le monde des mortels. Pour aller où ? Pour se réfugier dans quelles sphères ? Sinon dans le rythme lui-même, en tant que tel. Vous en doutez ? Ouvrez à n'importe quelle page les textes sanskrits, hébreux ou chinois. Et surtout, n'oubliez pas la parole de Mallarmé à Edmund Gosse, le 10 janvier 1893. Écrit-il ? Non, il fait « de la Musique », et appelle ainsi « non celle qu'on peut tirer du rapprochement euphonique des mots, cette première condition va de soi ; mais l'au-delà magiquement produit par certaines dispositions de la parole, où celle-ci ne reste qu'à l'état de moyen de communication matérielle avec le lecteur comme les touches du piano », ajoutant : « Employez Musique dans le sens grec, au fond signifiant Idée ou rythme entre des rapports. »

Et Rimbaud ? Rimbaud encore. Il est un « formidable musicien », prévient-il. (« Je songe à une Guerre, de droit ou de force, de logique bien imprévue. / C'est aussi simple qu'une phrase musicale. ») Il s'agit d'entendre, dans son rythme, les chocs et contre-chocs de ses chromatismes, les contrepoints et les harmoniques de son art de la fugue. Souvenons-nous du Démiurge décrit par Platon dans le *Timée* : cet architecte a découpé, déroulé, opposé des cortèges de formes ; il a harmonisé ses accords, en comblant les intervalles au moyen de médiétés requises ; son rythme personnel, battant à l'unisson d'un rythme plus haut, a obtenu la grande consonance qui tend et fait vibrer l'œuvre tout entière.

Il y a, par ailleurs, chez Rimbaud, qui, comme Nietzsche et Lautréamont, joua du piano, une expérience de la musique indissociable de celle de la poésie. Ses textes sont nourris de « refrains naïfs », de « rythmes instinctifs », de virtualités orchestrales, d'oiseaux dont le « chant vous arrête et vous fait rougir », de fleurs « qui tintent », d'« extases harmoniques », de « voix, non forcées et point fixes », de « fêtes amoureuses qui sonnent », de « flottes orphéoniques » mêlées à « la rumeur des perles et des conques précieuses », de « moissons de fleurs grandes comme nos armes et nos coupes » et qui « mugissent », d'« accords mineurs » qui « se croisent » et « filent », de « fanfare tournant », de « chansons bonnes filles », d'« envol de pigeons écarlates » qui « tonnent autour de la pensée », de « cloches de feu rose » qui « sonnent dans les nuages », de « rumeurs des villes au soir, et au soleil et toujours »

– « Ô Rumeurs et Visions ! ». Mais tout commence par ce piano enchanté que Madame *** « établit dans les Alpes ».

***

Mallarmé à nouveau : « Je sais que la Musique ou ce qu'on est convenu de nommer ainsi, dans l'acception ordinaire, la limitant aux exécutions concertantes avec le secours des cordes, des cuivres et des bois et cette licence, en outre, qu'elle s'adjoigne la parole, cache une ambition, la même ; sauf à n'en rien dire, parce qu'elle ne se confie pas volontiers. Par contre, à ce tracé, il y a une minute, des sinueuses et mobiles variations de l'Idée, que l'écrit revendique de fixer, y eut-il, peut-être lieu de confronter à telles phrases une réminiscence de l'orchestre ; où succède à des rentrées dans l'ombre, après un remous soucieux, tout à coup l'éruptif et multiple sursautement de la clarté comme les proches irradiations d'un lever de jour : vain, si le langage, par la retrempe et l'essor purifiant du chant, n'y confère un sens. »

Plus direct, plus rapide, mais visant avec une même précision au cœur de la même cible, Rimbaud prévient : « Je est un autre. Si le cuivre s'éveille clairon, il n'y a rien de sa faute. Cela m'est évident : j'assiste à l'éclosion de ma pensée : je la regarde, je l'écoute : je lance un coup d'archet : la symphonie fait son remuement dans les profondeurs, ou vient d'un bond sur la scène. »

***

Dans les notes posthumes de *La Volonté de puissance*, Nietzsche se dit à lui-même, au seuil de sa quarantième année : « Tous les systèmes philosophiques sont dépassés ; les Grecs brillent d'un éclat plus vif que jamais, surtout les Grecs d'avant Socrate. » Dès le début du XIXᵉ siècle, la philosophie en Allemagne est portée par la nostalgie d'une origine grecque qu'elle pressent même antérieure à Socrate. Ce n'est pas Nietzsche, mais Hegel qui déclare : « Il n'est aucune proposition d'Héraclite que je n'aie accueillie dans ma logique » – et Kant qui tient Zénon pour un « dialecticien subtil ». Mais quel est le sens de cette philosophie dont les Grecs ont légué le nom ? L'amour de la sagesse ? Nullement. Et la sagesse de l'amour encore moins. Héraclite nous met sur la voie :

L'Un, le sophon, lui seul ;
Point ne lui plaît, bien qu'il lui plaise
D'être dit sous le nom de Zeus.

Un et Zeus font deux, comme le prétend la phrase négative avant l'affirmative. Car Zeus en un sens n'est qu'un seul Un, bien qu'il soit le premier de tous. En tant que premier, il est bien le numéro un. Mais il n'est pas l'Un. Alors qui est l'Un ? Telle est la question qui annonce celle d'Hamlet. Question toujours irrésolue après vingt-cinq siècles, et que l'Occident continue de se poser dès qu'il parle de Zeus ou de Dieu, l'un traduisant l'autre par le latin, *Jove Pater.*

**

À l'autre bout du monde grec, on trouve Parménide d'Élée, plus jeune qu'Héraclite et son apparent opposé. Parménide est l'auteur d'un poème, *De la nature*, aujourd'hui disparu dans son ensemble, malgré de nombreux fragments. A-t-on vraiment dit quelque chose de lui, lorsque l'on a résumé ainsi sa pensée : rien ne peut se transformer ; rien ne naît de rien ; tout a toujours existé ; ce qui n'est rien ne peut devenir quelque chose ; et, comme rien ne peut devenir autre chose, il n'y a guère que l'être et l'éternel ; donc nos sens sont voués à l'illusion.

Élée se situe au sud de Paestum, en face de Palinure. Elle s'étage de plateau en plateau vers la mer, cependant qu'elle fait face au mont Étoile.

Écoutons à présent le début du poème de Parménide (traduction de Jean-Paul Dumont) dont Heidegger a écrit que « ces quelques mots sont comme des statues grecques archaïques ».

« Les cavales qui m'emportent, m'ont entraîné
Aussi loin que mon cœur en formait le désir,
Quand, en me conduisant, elles m'ont dirigé
Sur la voie renommée de la Divinité,
Qui, de par les cités, porte l'homme qui sait.
J'en ai suivi le cours ; sur elles m'ont porté,
Attelés à mon char, les sagaces coursiers.
Des jeunes filles nous indiquaient le chemin.
L'essieu brûlant des roues grinçait dans les moyeux,
Jetant des cris de flûte. (Car, de chaque côté,

Les deux cercles des roues rapidement tournaient),
Cependant que déjà les filles du Soleil,
Qui avaient délaissé les palais de la Nuit,
Couraient vers la lumière en me faisant cortège,
Écartant de la main les voiles qui masquaient
L'éclat de leur visage.
                Là se dresse la porte
Donnant sur les chemins de la Nuit et du Jour.
Un linteau et un seuil de pierre la limitent.
Quant à la porte même, élevée vers le ciel,
C'est une porte pleine, aux battants magnifiques,
Et Diké aux nombreux châtiments en détient
Les clefs, dans les deux sens contrôlant le passage.
Pour la séduire et la gagner, les jeunes filles
Usèrent à son endroit de caressants propos,
Afin d'habilement la persuader d'ôter,
Rien qu'un petit instant, le verrou de la porte.
La porte bascula, ouvrant un large espace
Entre les deux battants, en faisant pivoter
Les gonds de bronze ciselé sur leurs paumelles
Retenus par des clous et d'épaisses chevilles.
C'est alors que, par là, tout droit, les jeunes filles
Poussèrent à s'engouffrer le char et les cavales
Sur la route déjà tracée par des ornières.
La déesse avec bienveillance me reçut.
Elle prit ma main droite en sa main et me dit :
Jeune homme, toi qui viens ici, accompagné
De cochers immortels, portés par des cavales,
Salut ! Car ce n'est point une Moire ennemie,
Qui t'a poussé sur cette voie (hors des sentiers
Qu'on voit communément les hommes emprunter),

Mais Thémis et Diké. Apprends donc toutes choses,
Et aussi bien le cœur exempt de tremblement
Propre à la vérité bellement circulaire,
Que les opinions des mortels, dans lesquelles
Il n'est rien qui soit vrai ni digne de crédit ;
Mais cependant aussi j'aurai soin de t'apprendre
Comment il conviendrait que soient, quant à leur être,
En toute vraisemblance, lesdites opinions,
Qui toutes vont passant toujours. »

On oublie trop souvent à mon goût que l'illumination de ce poème de Parménide est d'abord confiée à un transport mené par des juments.

Ai-je tort d'entendre en même temps cette phrase de Rimbaud, extraite du poème *Ornières* (mot que l'on retrouve chez Parménide au vers 21) ?

« Même des cercueils sous leur dais de nuit dressant les panaches d'ébène, filant au trot des grandes juments bleues et noires. »

Les « cavales qui m'emportent » ? Considérez désormais qu'elles emportent la mort à la manière des « grandes juments bleues et noires ». Ce qui est prescrit ? D'aller « aussi loin que le cœur » en forme « le désir ». Car c'est à cette limite, et à cette limite seulement, qu'on peut avoir la chance de rencontrer le vrai sous forme de raison jamais dite. Ces cavales conduisent l'expérimentateur d'un désir authentique « sur la voie renommée de la Divinité », cependant qu'il quitte la cité. Nouvel Achille, le jeune homme se laisse porter par des coursiers « sagaces », entendez qui savent par eux-mêmes le chemin.

Deux traits de narration capitaux : d'une part, l'apparition des jeunes filles qui surgissent pour indiquer le chemin, d'autre part, les roues régies par un essieu brûlant qui grince dans les moyeux, ce qui indique assez que tout va très vite. Ainsi, le cœur se porte au-devant de son désir ; et le kouros place sa confiance dans un chœur de jeunes filles. Sont-elles en fleur ? Parménide ne le dit pas, mais impossible de ne pas y penser. Si ce n'est que nous ne sommes pas dans leur ombre mais sur la voie qu'elles ouvrent.

Depuis longtemps, les philosophes ont scruté ce texte fondamental dans l'histoire de la métaphysique occidentale, mais en oubliant tous, je me demande pourquoi, ces histoires de cavale, de jeunes filles et de roues en action. Ces roues justement, dit Parménide, qui jettent « des cris de flûte ». Belle image qui signifie que la musique vient d'entrer en présence, dans le mouvement rapide de la course. Autrement dit, ce qui va être illuminant ne saurait être atteint qu'à grande vitesse. Parménide insiste sur le fait que celles qu'il appelle « les filles du Soleil » – Rimbaud ne voulait-il pas être « fils du Soleil » ? – ont délaissé les « palais de la Nuit » et courent vers la lumière, tout en écartant de la main les voiles qui masquaient l'éclat de leur visage. Et voici à quoi je pense aussitôt en contrepoint, puisque nous sommes dans une fugue : à l'illumination rapportée par Rimbaud : *Aube.*

« J'ai embrassé l'aube d'été.

Rien ne bougeait encore au front des palais. L'eau était morte. Les camps d'ombres ne quittaient pas la route du bois. J'ai marché, réveillant les haleines vives et tièdes, et les pierreries regardèrent, et les ailes se levèrent sans bruit.

La première entreprise fut, dans un sentier déjà empli de frais et blêmes éclats, une fleur qui me dit son nom.

Je ris au wasserfall blond qui s'échevela à travers les sapins : à la cime argentée je reconnus la déesse.

Alors je levai un à un les voiles. Dans l'allée, en agitant les bras. Par la plaine, où je l'ai dénoncée au coq. À la grand'ville elle fuyait parmi les clochers et les dômes, et courant comme un mendiant sur les quais de marbre, je la chassais.

En haut de la route, près d'un bois de lauriers, je l'ai entourée avec ses voiles amassés, et j'ai senti un peu son immense corps. L'aube et l'enfant tombèrent au bas du bois.

Au réveil il était midi. »

Comme Parménide, Rimbaud parle à la première personne. Il note qu'il a su reconnaître la déesse et, blasphème, ou plutôt bénédiction, qu'il est parvenu dans la chaleur du jour naissant à la dénuder. Il court après elle, la rattrape au bout d'une route près d'un bois de lauriers, l'entoure avec ses voiles amassés et, scène censurée, sent un peu son immense corps.

Pour l'heure, Parménide voit se dresser une porte qui n'est pas sans rappeler celle de Rodin ni de Dante. Ni, bien entendu, celle que l'on trouve décrite dans l'Évangile selon saint Matthieu :

« Entrez par la porte étroite, parce que la porte de la perdition est large, et le chemin qui y mène est spacieux, et il y en a beaucoup qui y rentrent.

Que la porte de la vie est petite, que la voie qui y mène est étroite, et qu'il y en a peu qui la trouvent ! »

Se dresse une porte, dit Parménide, « donnant sur les chemins de la Nuit et du Jour ». Souvenons-nous du passage cité de Rimbaud : « Malgré la nuit seule – Et le jour en feu. » Vient une description détaillée. La porte a un « linteau et un seuil de pierre », elle est « élevée vers le ciel » ; « pleine », elle a des « battants magnifiques ». Et, figure de la justice, « Diké aux nombreux châtiments en détient les clefs dans les deux sens ». Est-il besoin de faire sentir l'importance des clefs ? De toute évidence, nous ne sommes pas à Saint-Pierre de Rome, mais pourquoi s'interdire de l'imaginer ? D'autant que la description de Parménide rappelle aussi celle de la Jérusalem céleste, « illuminée de la clarté de Dieu », dont saint Jean a eu la révélation à Patmos :

« Les fondements des murailles de la ville étaient ornés de toutes sortes de pierres précieuses. Le premier fondement était de jaspe, le second de saphir, le troisième de calcédoine, le quatrième d'émeraude. / Le cinquième de sardonyx, le sixième de sardoine, le

45

septième de chrysolithe, le huitième de béryl, le neuvième de topaze, le dixième de chrysoprase, le onzième d'hyacinthe, le douzième d'améthyste. / Or les douze portes étaient douze perles, et chaque porte était faite de l'une de ces perles, et la place de la ville était d'un or pur comme du verre transparent. »

Revenons à Parménide. C'est grâce au chœur des jeunes filles que le jeune héros iliadique va pouvoir séduire et gagner la redoutable Diké : celles-ci usent à son égard de propos caressants pour la persuader de tirer le verrou. Admirable précision : « rien qu'un petit instant ». La scène se déroule entre femmes ; et cet instant si furtif est de la plus grande importance pour qui veut passer. Vous voyez de quel moyen le kouros se sert, ou par quel moyen il est servi. Soudain la porte bascule, Sésame s'ouvre sur un « large espace ». Le poème est très précis : il n'omet pas de parler des « gonds de bronze ciselé sur leurs paumelles retenus par des clous et d'épaisses chevilles ». D'ordinaire, les philosophes ne s'arrêtent pas à ce passage. Que sont donc ces gonds ? Nullement des détails décoratifs, ni secondaires. Pour s'en persuader, allons directement du côté de Shakespeare, lorsqu'il fait s'écrier à Hamlet : « Le temps est hors de ses gonds. »

Décidément « les jeunes filles » poussent « le char » « par là, tout droit ». Il doit se précipiter pour entrer à cet instant unique. Le char s'engouffre donc sur une route déjà tracée par des ornières, ce qui nous oblige à penser que l'expérimentateur n'est pas le premier à avoir son expérience ; d'autres peut-être n'en sont pas revenus, à moins qu'ils n'aient préféré se taire. Combien de mousses, de marins, de capitaines Achab disparus en mer ? Et combien de cavaliers ? Des dizaines, des centaines, des milliers ? Car ce n'est qu'à cet endroit que s'obtient la raison illuminante.

(Note : je suis partisan qu'on n'oublie pas la dimension déesse quand on parle du divin ou de Dieu. Souvenons-nous de ce que dit Rimbaud : « Quand sera brisé l'infini servage de la femme, quand elle vivra pour et par elle, l'homme jusqu'ici abominable, lui ayant donné son renvoi, elle sera poète, elle aussi. La femme trouvera de l'inconnu. » Nous pouvons ici célébrer un autre expérimentateur fameux, j'ai nommé Dante. Dans son poème *La Divine Comédie*, bâti selon le chiffre d'or des cathédrales, une jeune fille, Béatrice – la future béatitude –, conduit le poète vers « la rose céleste », vous aurez reconnu la Vierge Marie. Sujet épineux, c'est le cas de le dire, pour une rose – et cela, en dépit des « Je vous salue Marie » du Rosaire. Marie n'est-elle pas, comme Dante le fait dire à saint Bernard de Clairvaux, « vierge mère, fille de son fils » ?)

Ce que dit Parménide ne cesse d'étonner : ce n'est pas tous les jours que quelqu'un raconte une expérience où la déesse elle-même se montre bienveillante, prend dans sa main celle de l'aventureux cavalier, comme chez Homère, Poséidon et Athéna lorsqu'ils réconfortent le meilleur des Achéens. Elle lui déclare :

« Jeune homme, toi qui viens ici, accompagné
De cochers immortels, portés par des cavales,
Salut ! car ce n'est pas une Moire ennemie
Qui t'a poussé sur cette voie (hors des sentiers
Qu'on voit communément les hommes emprunter). »

Je pourrais lui faire ajouter : « Donc tu te dégages
– Des humains suffrages – Des communs élans... »,
c'est-à-dire des chemins qui feignent un but mais
tournent en rond, ou encore des chemins qui conduisent
ces pèlerinages toujours collectifs – Jérusalem, Rome,
Zagorsk ou La Mecque. Qui, sur cette voie, a conduit
le jeune homme ? Thémis et Diké. Nous verrons plus
tard ce que les Chinois entendent par la Voie, le Tao.
Profitons pour l'heure de notre cavalier à qui la déesse
va apprendre toutes choses « et aussi bien le cœur
exempt de tremblement – Propre à la vérité bellement
circulaire ». C'est en allant aussi loin que son cœur en
donne le désir, c'est-à-dire en ne cédant rien, ni jamais,
de son désir, que notre expérimentateur d'une illumination de raison apprendra en quoi le cœur de « la vérité
bellement circulaire » est atteint. Il ne tremblera pas, il
n'aura plus peur, surtout que rien n'est vrai dans les
opinions des mortels. Ceux-ci ont une double tête. Ils
se laissent porter, sourds et aveugles, en foule abusée.
L'être et le non-être, ne les prennent-ils pas tantôt pour
le Même, tantôt pour le Non-Même ? Il suffit d'énoncer
la fameuse formule « l'être est, le non-être n'est pas » qui
a entraîné des bibliothèques de commentaires, sans s'être
avisé suffisamment de l'expérience qui conduit à cette

révélation, pour que d'aucuns la trouvent d'une platitude extrême. Je me rappelle, ainsi, le commentaire malveillant d'une journaliste préposée aux programmes télévisés sur le film que j'ai réalisé avec Laurène L'Allinec, *La Porte de l'enfer.* Je l'avais, disait-elle, agrémenté de propos plus ou moins superflus comme : « L'être est, le non-être n'est pas. » Elle ajoutait : certes. Et, en effet, si vous pensez distraitement que l'être et le penser sont le Même, vous pouvez aussi ajouter : et alors ? Eh oui, bien sûr, mais il s'agit d'en faire l'expérience, en vérité : celle-ci est bouleversante.

Heidegger a bien raison de dire que le nihilisme n'est rien d'autre que le fait de ne pas penser le néant. La déesse est formelle : il faut suivre sa voie, là « être et penser sont le Même », car l'autre voie est impraticable. C'est pourtant cette dernière que choisit la majorité, erronément conduite par des penseurs incapables d'accéder à l'expérience du « nouvel amour ».

L'humanité n'est pas plus en crise que d'habitude : les élites censées la penser le sont, elles, incontestablement. Une crise dévastatrice. Quel est le cavalier élu chez Parménide ? Celui qui est allé aussi loin que son cœur en formait le désir. Rimbaud en est un autre qui, éternellement, franchit la porte avec le char et connaît la déesse. Que faut-il lire ? Je serai radical : il s'agit, ici, d'une apologie de l'élection contre toutes les élites. Qui peut être élu ? Qui est invité ? N'importe qui, tout être humain, quelle que soit sa condition, vous, moi, lui,

nous. Qui barre l'accès ? Qui verrouille les portes ?
Grande question. Rimbaud prévient :

« Oui, l'heure nouvelle est au moins très sévère.
Car je puis dire que la victoire m'est acquise : les
grincements de dents, le sifflement de feu, les soupirs
empestés se modèrent. Tous les souvenirs immondes
s'effacent. Mes derniers regrets détalent, – des jalousies
pour les mendiants, les brigands, les amis de la mort, les
arriérés de toutes sortes. – Damnés, si je me vengeais !
Il faut être absolument moderne. »

La réponse de Rimbaud ? Le ressentiment, la haine,
l'esprit de vengeance, interdisent l'élection. Il faut
renoncer « absolument » au club des amis de la mort. Il
n'est pas d'autre modernité. Il ajoute plus loin :

« Recevons tous les influx de vigueur et de tendresse
réelle. »

Avant de conclure :

« Un bel avantage, c'est que je puis rire des vieilles
amours mensongères, et frapper de honte ces couples
menteurs, – j'ai vu l'enfer des femmes là-bas. »

Écoutons Rimbaud.
On ne parvient pas si facilement à la bienveillance
de la déesse.

IV

« Seulement à partir de la vérité de l'être se laisse
penser le déploiement du sacré. Seulement à partir du
déploiement du sacré peut se penser le déploiement de la
divinité. Seulement dans l'illumination du déploiement
de la divinité peut être pensé et dit ce que la parole
"Dieu" doit nommer. »
Heidegger parlait ainsi.

**

Voulant marier sa fille à un homme vertueux, l'empereur envoya chercher un jeune homme portant la
sainteté inscrite sur son visage. On courut les villes, puis
les villages, et de province en province, un à un, on
examina les candidats les plus parfaits, d'où se déta-
cherait l'élu, le plus beau, le plus pur, le plus exemplaire
d'entre les humains. L'homme choisi fit honneur à son
image et rendit la fille de l'empereur heureuse durant
toute sa vie. Puis il advint qu'il mourut. Le jour de sa
mort, quelqu'un découvrit sur sa tempe le liséré d'or

d'un très fin masque qui lui recouvrait le visage. Les mandarins s'indignèrent contre l'imposture. Mais quand ils l'ôtèrent, ils virent que le masque et le visage de l'homme étaient identiques.

*
* *

« Mille neuf cent est l'année terrible. Nietzsche meurt. Le premier de la classe disparu, ne restent que les cancres. » Ce propos de Jean Cocteau, qui oserait le tenir aujourd'hui ? L'affaire est entendue : la philosophie n'a plus de sens ; le fanatisme revient ; les idéologies sont faussement derrière nous ; et l'époque de s'exalter au mieux dans sa course au divertissement. Deux guerres mondiales et des millions de morts n'ont-ils pas eu raison de l'orgueil qu'un homme peut avoir à penser ? À réfléchir, dans la solitude, au sens qu'il importe d'essayer de donner à soi-même et au monde ? Faites silence. Passez outre. Ouvrez Nietzsche : le *Crépuscule des idoles*, par exemple, ou n'importe lequel de ses livres écrits à la hâte dans le seul but d'annoncer une bonne nouvelle dont on commence seulement à comprendre la portée, au terme d'un siècle où les cancres ont tous triomphé. Qu'y voit-on ? Un mouvement insurrectionnel qui ne vise rien moins qu'à rétablir l'homme dans sa vraie patrie : cette âme et ce corps illimités qu'il a eu la folie de déserter au profit d'un monde effroyablement rétréci, où il risque à présent de finir emmuré. On vous a pourtant mis en garde. Nietzsche ? Un ancêtre du fascisme, annexé par les nazis, antisémite et pangermaniste dans l'âme.

Un pervers ? Un malade. Pourtant, dès les premières pages que vous lisez, vous sentez qu'on vous a menti : Nietzsche est plus actuel que jamais. Intempestif, eût-il écrit. À mille lieues de sa caricature. Celui qui signait « Dionysos contre le Crucifié » est tout simplement l'un des plus grands écrivains français. Serons-nous, comme toujours, les derniers à l'admettre, malgré le culte lucide que lui a rendu Georges Bataille ? Issu d'une vieille famille polonaise, Nietzsche laisse une œuvre où l'on peut voir en vérité la plus sévère dénonciation de la culture allemande de son temps. « Qu'on lise les livres allemands, on y a complètement oublié qu'il faut apprendre à penser, comme on apprend à danser. » Dès l'époque où il est étudiant, ce fils de pasteur n'hésite pas à dénoncer ce qu'il appelle la « culture des philistins », rejetant, entre autres, la philologie germanique léguée par les frères Grimm et la bureaucratie guerrière dont l'État prussien promet la suprématie. Plus que tout, il admire les moralistes et les auteurs des XVIIe et XVIIIe siècles français : il travaille à réformer son style sur l'exemple de celui de La Rochefoucauld, Pascal, Chamfort et Laclos. C'est d'eux, et d'eux seuls, qu'il prend ce tour si français de la maxime et de l'aphorisme, voire du conte et de l'apologue, faisant, de la sorte, exploser la tradition allemande du système, illustrée par Kant, Fichte et Hegel. Il s'explique dans *Par-delà le bien et le mal* : « Aujourd'hui encore, la France est le siège de la civilisation européenne la plus spirituelle et la plus raffinée, et la grande école du goût. » Ce qu'il reproche à ses compatriotes d'alors ? « Tantôt la bêtise antifrançaise, tantôt la bêtise antisémite, ou antipolonaise, ou romantico-chrétienne ou wagnérienne, ou teutonique ou prussienne. » Avec en contrepoint son amour pour ses frères d'élection, Stendhal, « sec, clair, sans illusions », et Voltaire, auquel il dédie *Humain, trop humain*. Vite écœuré par « l'art allemand ! (...) la bière allemande ! », il renonce à l'âge de vingt-cinq ans à la nationalité prussienne et sera déclaré apatride jusqu'à son décès. Il décide de passer le reste de sa vie hors de ses frontières natales, où il ne reviendra, contraint et forcé, que pour se faire soigner par sa sœur, Élisabeth, qui évoque, mais en noir, celle de Rimbaud. Il vit d'abord en Suisse, où il enseigne la philologie à Bâle de 1869 à 1878, puis en France et en Italie, de 1879 à 1889. Son départ pour Nice correspond à un double besoin : celui de recevoir la lumière méditerranéenne, comme celui de répudier la forêt et les brumes germaniques. Souffrant, sans amis ni ressources, il cherche à calmer ses maux de tête par des promenades quotidiennes dans l'arrière-pays. Et lui, qui rêve de la Grèce dont il n'atteindra jamais les rivages, trouve dans la France comme un reflet de l'esprit attique, soit ce vœu, mais aussi ce serment, d'un art de vivre, au sens propre de l'expression, où l'on s'autorise d'être « superficiel par profondeur ». Compositeur à ses heures, Nietzsche pousse d'ailleurs son amour de la France jusqu'à oser opposer à Wagner Bizet, « le dernier génie qui ait su découvrir une beauté et une séduction nouvelles ». Le fond de l'histoire est sans doute la passion inavouée de Nietzsche pour la femme de Wagner, Cosima, comme sa jalousie devant les ressources d'un génie musical dont l'accès lui fut toujours refusé. Il n'empêche ! Il reproche à Wagner son moralisme, son obsession du drame, son absence de gaieté (*Heiterkeit*) et d'avoir donné dans *Parsifal* un héros qu'il traite sans ménagement de « pur abruti ». La pensée de Nietzsche ? Plus que dans des réponses qui dispenseraient de voir le mouvement profondément contradictoire qui la traverse, sans doute peut-on la ramener à une question qui n'a cessé de le hanter : « L'homme peut-il s'ennoblir ? » Question que posaient déjà, au XIIIᵉ siècle, Maître Eckhart et les mystiques rhénans à sa suite. S'ennoblir, oui, mais comment ? Au choix, et tout ensemble, par l'art, la danse, la musique, la création de l'homme par lui-même, de tout ce qui le replace à la hauteur de sa vraie destinée. Les extrémistes, mais aussi ses contempteurs, tous nihilistes, ont sans doute utilisé Nietzsche à tort et à travers. Il eût été préférable qu'ils le lisent. Un siècle après sa mort, il n'est pas trop tôt pour commencer.

« Hier, quand la lune s'est levée, j'ai cru qu'elle allait donner le jour à un soleil : si large elle était, si lourde comme un fruit sur l'horizon.

Mais cet aspect de grossesse était mensonger à mes yeux ; et je préfère croire à la part d'homme qu'il y a dans la lune plutôt qu'à ce qu'il y a en elle de femme.

Et bien sûr ce noctambule effarouché n'est guère homme non plus. En vérité sa mauvaise conscience accompagne sa marche sur les toits.

Car il est plus lubrique et jaloux, ce moine habitant de la lune, lubrique dont le désir est la terre et toutes les joies de ceux qui aiment.

Non, je ne l'aime pas ce chat qui rôde sur les toits ! Ils me répugnent, tous ceux qui se faufilent auprès des fenêtres mi-closes !

Il déambule plein de pitié et de silence, sur des tapis d'étoiles ; – mais je n'aime pas les pieds humains aux marches feutrées, pieds au talon desquels ne tinte nul éperon.

De tout homme honnête le pas est une parole franche ; mais le chat sur le sol a des trajectoires de voleur. Voyez, la lune approche comme un chat, sans une parole franche.

Cette parabole je vous la livre, hypocrites senti-mentaux, je vous la livre à vous hommes de la "pure connaissance" ! Vous je vous appelle – lubriques !

Mais vous aimez aussi la terre et ce qui est terrestre : je vous ai bien devinés ! – mais il y a de la honte dans votre amour, et de la mauvaise conscience, – vous êtes comme la lune !

On a persuadé votre esprit de mépriser la terre, mais pas vos entrailles : et ce sont elles ce qu'il y a de plus fort en vous !

Et maintenant votre esprit a honte de se plier à la volonté de vos entrailles et fuit sa honte de lui-même dans des chemins détournés, des chemins mensongers.

"Ma plus haute satisfaction – ainsi parle à lui-même votre esprit mensonger – ce serait de contempler la vie sans désir et non la langue pendante comme un chien :

D'être heureux dans la contemplation, toute volonté

morte, hors de l'emprise de l'égoïsme avide – d'être par tout le corps froid et gris comme la cendre, mais avec des yeux lunaires engloutis dans l'ivresse !

Ce que je voudrais le plus – ainsi l'esprit abusé s'abuse-t-il lui-même – c'est aimer la terre comme la lune aime la terre et ne toucher sa beauté que des yeux.

Et j'appelle immaculée connaissance de toutes choses celle où je n'exige rien des choses : sinon de pouvoir me poster devant elles ainsi qu'un miroir à cent facettes comme des yeux." –

Ô sentimentaux hypocrites, ô lubriques ! l'innocence manque à votre désir : et voilà pourquoi maintenant vous calomniez le désir !

En vérité ce n'est pas en créateurs, ni en procréateurs, ni en joyeux amis du devenir que vous aimez la terre !

Où est l'innocence ? Là où il y a de la volonté d'engendrer. Et celui qui veut créer au-delà de lui-même il a selon moi la volonté la plus pure.

Où est la beauté ? Là où il faut que je veuille de toute ma volonté ; là où je veux aimer et succomber, pour qu'une image ne reste pas seulement une image.

Aimer et succomber : cela va de pair depuis des éternités. Volonté d'aimer : cela veut dire consentir à la mort aussi. Voilà comme je vous parle à vous les lâches !

Mais voici à présent que vos louches regards émasculés veulent qu'on les appelle "contemplations" ! Et que tout ce qui se laisse toucher par vos yeux lâches soit baptisé du nom de "beau" ! Ô salisseurs des appellations nobles !

Mais votre malédiction, ô immaculés, ô vous les hommes de la "pure connaissance", c'est que jamais vous n'enfanterez : si larges soyez-vous, si lourds comme d'un fruit sur l'horizon !

En vérité vous avez plein de nobles mots à la bouche : et nous devrions croire, ô menteurs, que votre cœur déborde.

Cependant mes mots à moi sont peu nombreux, méprisés, tout rabougris : j'aime bien ramasser ce qui tombe sous la table quand vous banquetez.

Je peux tout de même à vous – hypocrites – vous dire la vérité ! Oui, mes arêtes, mes coquilles, mes piquants n'attendent que de chatouiller vos nez d'hypocrites !

Toujours l'atmosphère est malsaine autour de vous, dans vos banquets : vos pensées lubriques, vos mensonges, vos petits secrets sont là qui tournent dans les airs !

Ayez d'abord l'audace de vous croire vous-mêmes – vous et vos entrailles ! Celui qui ne se croit pas lui-même est toujours un menteur.

Vous vous êtes cachés à vos propres yeux sous le masque d'un dieu, vous les "purs" : le plus abominable de vos vers se dissimule sous le masque d'un Dieu.

En vérité vous faites illusion, ô "contemplatifs" ! Zarathoustra aussi fut la dupe de vos divines pelures ; il ne devinait pas le nœud de serpent qu'elles renfermaient.

Jadis, j'ai cru voir dans vos jeux l'âme d'un dieu qui se divertissait, hommes de la "pure connaissance" ! Jadis, j'ai eu l'illusion qu'il n'y avait nul art abouti comme le vôtre.

La distance me cachait l'ordure des serpents et leur

mauvaise odeur : et me cachait qu'une malice de lézard se faufilait par ici, soucieuse d'assouvir ses lubricités.

Mais je me suis approché de vous : et le jour s'est fait à mes yeux – et voici qu'il vient à vous aussi, – les amours lunaires ont touché à leur fin !

Voyez un peu ! Elle est là, la lune, stupéfaite et blême – devant l'aube !

Car déjà l'aube vient, la rougeoyante, – son amour à elle descend sur la terre ! Innocence et désir-de-créateur, telles sont toujours les amours des soleils !

Voyez son impatience quand elle arrive d'au-delà de la mer ! Ne sentez-vous pas la soif de son amour et son haleine chaude ?

Elle veut boire la mer, elle veut en aspirer les profondeurs jusqu'à elle, l'aube dans les hauteurs du ciel : alors la mer se dresse vers le soleil comme mille seins de femme.

La mer veut recevoir les baisers du soleil assoiffé et elle veut qu'il l'aspire à lui ; elle veut devenir la lumière elle-même !

En vérité, c'est à la manière du soleil que j'aime la vie et toutes les mers profondes.

Et voici ce que j'appelle connaissance : toute profondeur doit s'élever – jusqu'à mes hauteurs ! –

Ainsi parla Zarathoustra. »

*
* *

Regardons à présent ce que dit ce texte « De l'immaculée connaissance », traduit par Maël Renouard. Il s'agit du discours contre « l'immaculée connaissance ».

Le personnage inventé par Nietzsche parle contre « les calomniateurs du désir ». Ceux-ci, dit-il, se réfugient dans « la contemplation », ils ont même la prétention de savoir ce qui est beau. Nietzsche les accuse d'être incapables d'enfanter, entendez : de s'enfanter eux-mêmes : ce sont des hommes de la pure connaissance, la connaissance immaculée, comme l'est la conception. Ce qui est singulier, c'est ce que Nietzsche annonce dans ce passage :

« Hier, quand la lune s'est levée, j'ai cru qu'elle allait donner le jour à un soleil : si large elle était, si lourde comme un fruit sur l'horizon.

Mais cet aspect de grossesse était mensonger à mes yeux ; et je préfère croire à la part d'homme qu'il y a dans la lune plutôt qu'à ce qu'il y a en elle de femme. »

Nietzsche commence son texte par une évocation de la lune qui se lève et dans laquelle il croit voir qu'elle va donner le jour à un soleil, illusion de sa part, cet aspect de grossesse étant mensonger. Il fait cet ajout étonnant, « je préfère croire à la part d'homme qu'il y a dans la lune (lune en allemand est masculin) plutôt qu'à ce qu'il y a en elle de femme. » Tout cela pour dire que « les amours lunaires ont touché à leur fin ». Suivons d'aussi près que possible ce qui, sous la forme d'une illumination prophétique, entraîne à sonder le désir, la raison et l'amour. La lune fait d'emblée penser à l'élément féminin ; qu'elle soit désignée au masculin dans la langue allemande n'échappe pas au musicien Nietzsche, de même, il ne lui échappe pas que le soleil en allemand se dit au féminin, tandis que la mer est au neutre. Si d'aventure nous traduisions le poème de Rimbaud en allemand nous obtiendrions quelque chose comme :

Est retrouvé. Quoi ?
Mer mélangé à la soleil.

Il n'est pas indifférent de savoir dans quel genre se situent les mots d'une langue à l'autre. Si je vous dis « la liberté ou la mort », nous avons deux féminins ; en allemand nous aurions « la liberté ou le mort ». Dans cette célèbre formule de la Terreur, nous avons une assignation très forte au féminin. Mozart, lui, par la seule force de la musique, nous fait entendre dans *La Flûte enchantée* que nous passons à travers « la sombre nuit de le mort ».

Digression ? Je le reconnais. Mais j'insiste, non pas par fantaisie, mais pour émettre l'hypothèse très sérieuse que le français assigne peut-être trop la mort au féminin. Lorsque j'ai commencé à écrire *Femmes,* j'ai hésité longtemps à laisser dès les premières lignes le syllogisme suivant, dont j'avais l'impression qu'il pouvait être trop fort :

« Le monde appartient aux femmes.
C'est-à-dire à la mort.
Là-dessus tout le monde ment. »

Me suis-je trompé ?

Mais revenons à Nietzsche qui, à travers Zarathoustra, considère que la lune se tient subitement stupéfaite et blême devant l'aube. « Les amours lunaires touchent à leur fin. » Décidément, le voici une fois de plus, ce « nouvel amour ». Car, dit Nietzsche, dans un trait iliadique, déjà l'aube vient – cette aube qu'il qualifie de « rougeoyante ». On se souvient d'Homère parlant de « l'aurore aux doigts de rose ». On pourrait certes s'en contenter, comme d'une métaphore à fleur de peau : plus radical, Nietzsche préfère dire la « rougeoyante ». Qu'est-ce qui précède étroitement le lever du soleil ? Tout promeneur des solitudes et des aubes à naître, tout amateur des déserts, des montagnes, des plages ou des océans, des plaines aussi, arrêté devant la vibration de l'espace, a vu et entendu ce qui se passe avant le surgissement du soleil, cet embrasement du « jour en feu » et des « braises de satin ». Combien de fois ne me suis-je pas trouvé ainsi, au bout du bout de la nuit, pour assister seul à cet énorme silence traversé d'oiseaux eux-mêmes silencieux ?

D'abord l'aube vient, la rougeoyante. Son amour descend sur la terre. « Innocence et désir de créateur, telles sont toujours les amours des soleils. » « Ne sentez-vous pas, dit le personnage, la soif de l'aube quand elle arrive d'au-delà de la mer », avec « la soif de son amour et son haleine chaude » ? N'oublions jamais que Nietzsche, comme Rimbaud, est un marcheur impénitent, un homme de plein air, de plein vent, d'escalade, de montagne, de rocs escarpés, d'où sa détestation des Assis, des reclus, des enfermés, des philosophes qui ne sont jamais, à ses yeux, que des « prêtres masqués ». Bientôt, nous irons vers Hölderlin. Pour l'instant, rappelons simplement qu'à ses yeux « la poésie est l'occupation la plus innocente de toutes ». Pour cette raison précise, paradoxe terrible, la poésie ne peut qu'enfanter une haine violente : l'innocent seul est condamné, pendant qu'on feint de châtier les coupables.

Voici l'aube, dit Nietzsche, qui veut « boire la mer, en aspirer les profondeurs jusqu'à elle », dans les hauteurs du ciel. « Alors la mer se dresse vers le soleil comme mille seins de femme. » Cette mer mêlée au soleil qui nous assure, dit Rimbaud, de « l'éternité retrouvée », cette mer « veut recevoir les baisers du soleil assoiffé, elle veut qu'il l'aspire à lui ». Voilà donc un cosmos parfaitement érotisé. Le soleil veut la mer. Comment la mer voudrait-elle quelque chose ? Air, hauteur et sentier de lumière, elle veut devenir lumière elle-même. À travers Zarathoustra, Nietzsche ne craint pas d'affirmer son expérience illuminée en précisant : « En vérité, c'est à la manière du soleil que j'aime la vie et toutes les mers profondes. » Ce que j'appelle connaissance, dit-il, s'oppose à la connaissance immaculée sous l'emprise pseudo-contemplative des amours lunaires.

Un discours qui annonce la folie ?
Je vous dissuade de le penser.

V

Qu'*Une saison en enfer* soit le carnet de « damné » de Rimbaud, il n'empêche : les *Illuminations* sont, au sens strict, les éjaculations mystiques qu'il a composées sur les feuillets de l'« Ange » qu'il fut *en même temps*. « Moi ! qui me suis dit mage ou ange... » Rimbaud prévient qu'il ne se croit pas « embarqué pour une noce avec Jésus-Christ pour beau-père ». Néanmoins, de ce « beau-père », non plus que de sa « Mother », la « Mère Rimb », « aussi inflexible que soixante-treize administrations à casquettes de plomb », il ne réussira jamais à se défaire tout à fait. Il a beau faire, assurer qu'il ne se voit jamais dans « les conseils des Seigneurs – représentants du Christ », force lui est d'ajouter un peu plus loin : « Mais l'orgie et la camaraderie des femmes m'étaient interdites. » N'est-il pas celui qui n'a « point fait de mal » – celui qui est « intact » ? N'est-il pas encore celui qui « attend Dieu avec gourmandise », car « la vision de la justice est le plaisir de Dieu seul » ? Celui enfin qui questionne : « Pourquoi le Christ ne m'aide-t-il pas en donnant à mon âme espace et liberté », avant d'ajouter, en une parole, trois fois explicite, qui évoque, en la renversant, celle de Jésus sur la Croix : « Hélas ! L'Évangile a passé. L'Évangile ! L'Évangile. »

En vérité, Rimbaud ne cesse de penser au Christ :

« Du même désert, à la même nuit, toujours mes yeux las se réveillent à l'étoile d'argent, toujours sans que s'émeuvent les Rois de la vie, les trois mages, le cœur, l'âme, l'esprit. Quand irons-nous, par-delà les grèves et les monts, saluer la naissance du travail nouveau, la sagesse nouvelle, la fuite des tyrans et des démons, la fin de la superstition, adorer – les premiers ! – Noël sur la terre !

Le chant des cieux, la marche des peuples ! Esclaves, ne maudissons pas la vie. »

Des preuves, encore ? Qui se rappelle que Rimbaud a eu la volonté d'écrire une *Vie de Jésus* ? Qui a lu ces trois textes peu étudiés, les *Proses évangéliques* ? (En 1655, Pascal déjà avait fait une tentative restée inachevée avec son *Abrégé de la vie de Jésus-Christ*, succession rapide de « mystères » et méditation rigoureuse sur la Trinité, l'Incarnation et la Rédemption.) Et c'est peut-être dans les *Proses évangéliques* que Rimbaud approche au plus près l'illumination. Écoutons-le :

« À Samarie, plusieurs ont manifesté leur foi en lui. Il ne les a pas vus. Samarie s'enorgueillissait la parvenue, la perfide, l'égoïste, plus rigide observatrice de sa loi protestante que Juda des tables antiques. Là la richesse universelle permettait bien peu de discussion éclairée. Le sophisme, esclave et soldat de la routine, y avait déjà après les avoir flattés, égorgé plusieurs prophètes.

C'était un mot sinistre, celui de la femme à la fontaine : "Vous êtes prophète, vous savez ce que j'ai fait."

Les femmes et les hommes croyaient aux prophètes. Maintenant on croit à l'homme d'État.

À deux pas de la ville étrangère, incapable de la menacer matériellement, s'il était pris comme prophète, puisqu'il s'était montré là si bizarre, qu'aurait-il fait ?

Jésus n'a rien pu dire à Samarie. »

*
* *

« L'air léger et charmant de la Galilée : les habitants le reçurent avec une joie curieuse : ils l'avaient vu, secoué par la sainte colère, fouetter les changeurs et les marchands de gibier du temple. Miracle de la jeunesse pâle et furieuse, croyaient-ils.

Il sentit sa main aux mains chargées de bagues et à la bouche d'un officier. L'officier était à genoux dans la poudre : et sa tête était assez plaisante, quoique à demi chauve.

Les voitures filaient dans les étroites rues de la ville ; un mouvement, assez fort pour ce bourg ; tout semblait devoir être trop content ce soir-là.

Jésus retira sa main : il eut un mouvement d'orgueil enfantin et féminin. "Vous autres, si vous ne voyez point des miracles, vous ne croyez point."

Jésus n'avait point encor fait de miracles. Il avait,

dans une noce, dans une salle à manger verte et rose, parlé un peu hautement à la Sainte Vierge. Et personne n'avait parlé du vin de Cana à Capharnaüm, ni sur le marché, ni sur les quais. Les bourgeois peut-être.

Jésus dit : "Allez, votre fils se porte bien." L'officier s'en alla, comme on porte quelque pharmacie légère, et Jésus continua par les rues moins fréquentées. Des liserons orange, des bourraches montraient leur lueur magique entre les pavés. Enfin il vit au loin la prairie poussiéreuse, et les boutons d'or et les marguerites demandant grâce au jour. »

**

« Beth-Saïda, la piscine des cinq galeries, était un point d'ennui. Il semblait que ce fût un sinistre lavoir, toujours accablé de la pluie et moisi ; et les mendiants s'agitant sur les marches intérieures blêmies par ces lueurs d'orages précurseurs des éclairs d'enfer, en plaisantant sur leurs yeux bleus aveugles, sur les linges blancs ou bleus dont s'entouraient leurs moignons. Ô buanderie militaire, ô bain populaire. L'eau était toujours noire, et nul infirme n'y tombait même en songe.

C'est là que Jésus fit la première action grave ; avec les infâmes infirmes. Il y avait un jour, de février, mars ou avril, où le soleil de deux heures après midi, laissait s'étaler une grande faux de lumière sur l'eau ensevelie, et comme, là-bas, loin derrière les infirmes, j'aurais pu voir tout ce que ce rayon seul éveillait de bourgeons et de cristaux et de vers, dans le reflet, pareil à un ange blanc couché sur le côté, tous les reflets infiniment pâles remuaient.

Alors tous les péchés, fils légers et tenaces du démon, qui, pour les cœurs un peu sensibles, rendaient ces hommes plus effrayants que les monstres, voulaient se jeter à cette eau. Les infirmes descendaient, ne raillant plus ; mais avec envie.

Les premiers entrés sortaient guéris, disait-on. Non. Les péchés les rejetaient sur les marches, et les forçaient de chercher d'autres postes : car leur Démon ne peut rester qu'aux lieux où l'aumône est sûre.

Jésus entra aussitôt après l'heure de midi. Personne ne lavait ni ne descendait de bêtes. La lumière dans la piscine était jaune comme les dernières feuilles des vignes. Le divin maître se tenait contre une colonne : il regardait les fils du Péché ; le démon tirait sa langue en leur langue ; et riait ou niait.

Le Paralytique se leva, qui était resté couché sur le flanc, franchit la galerie et ce fut d'un pas singulièrement assuré qu'ils le virent franchir la galerie et disparaître dans la ville, les Damnés. »

L'épisode du Paralytique fait allusion aux versets tirés de saint Matthieu :

« Jésus étant entré dans Capharnaüm, un centurion vint le trouver, et lui fit cette prière :

Seigneur, mon serviteur est couché et malade de paralysie dans ma maison, et il souffre extrêmement.

Jésus lui dit : J'irai, et je le guérirai. »

Il renvoie également à ce passage extrait de saint Marc :

« Quelque temps après il revint à Capharnaüm.

Aussitôt qu'on eut ouï qu'il était en la maison, il s'y assembla un si grand nombre de personnes que ni le dedans du logis, ni tout l'espace d'auprès la porte ne pouvait les contenir ; et il leur prêchait la parole de Dieu.

Alors quelques-uns lui vinrent amener un paralytique, qui était porté par quatre hommes.

Mais la foule les empêchant de se présenter, ils découvrirent le toit de la maison où il était ; et y ayant fait une ouverture, ils descendirent le lit où le paralytique était couché.

Jésus, voyant leur foi, dit au paralytique : mon fils, tes péchés te sont remis.

Il y avait quelques scribes assis au même lieu, qui s'entretenaient de ces pensées dans leur cœur :

Que veut dire cet homme ? Il blasphème. Qui peut remettre les péchés si ce n'est Dieu seul ?

Jésus connut aussitôt par son esprit ce qu'ils pensaient en eux-mêmes, et il leur dit : pourquoi vous entretenez-vous de ces pensées dans vos cœurs ?

Lequel est le plus aisé ou de dire à ce paralytique : Tes péchés te sont remis ; ou de dire : Lève-toi, emporte ton lit et marche ?

Or, afin que vous sachiez que le Fils de l'homme a le pouvoir sur la terre de remettre les péchés, il dit au paralytique :

Lève-toi, je te le commande, emporte ton lit et va dans ta maison.

Il se leva au même instant, emporta son lit et s'en alla devant tout le monde ; de sorte qu'ils furent tous saisis d'étonnement, et rendant gloire à Dieu, ils disaient : Jamais nous n'avons rien vu de semblable. »

Là, dit Rimbaud, à Samarie – mais pour lui il s'agit d'ici et d'aujourd'hui, car si le « Dieu fait homme, mort et ressuscité » est une hypothèse sérieuse, elle implique que le Christ est, bien entendu, présent ici et aujourd'hui – donc, là à Samarie, c'est-à-dire en ce moment même en France, « la richesse universelle permettait bien peu de discussion éclairée. Le sophisme, esclave et soldat de la routine, y avait déjà, après les avoir flattés, égorgé plusieurs prophètes ». Continuons par cette autre citation : « C'était un mot sinistre, celui de la femme à la fontaine : "Vous êtes prophète, vous savez ce que j'ai fait." Les femmes et les hommes croyaient aux prophètes. Maintenant on croit à l'homme d'État. »

Actualisons : nous ne croyons ni aux prophètes, ni aux poètes, ni aux hommes d'État, ni aux hommes d'affaires, ni aux hommes, ni aux femmes, ni à l'humanité, ni même à l'argent roi – nous ne croyons plus qu'il y ait lieu de croire quoi que ce soit, ni en quoi que ce soit. C'est l'accomplissement du nihilisme, aujourd'hui encore à ses balbutiements mais qui ne cessera plus de s'accomplir, à moins qu'il ne s'agisse là d'une parole de dernière extrémité : tout est déjà accompli. Quoi qu'il en soit, au moment où il rédige cette prose évangélique, Rimbaud a cette étrange idée de mettre Jésus en situation. Il veut réécrire l'affaire Jésus, pas à la Renan, il ne vise pas le Collège de France, ni une millième thèse. Il se vise lui-même.

« À deux pas de la ville étrangère, incapable de la menacer matériellement, s'il était pris comme prophète, puisqu'il s'était montré là si bizarre, qu'aurait-il fait ?
Jésus n'a rien pu dire à Samarie. »

Jésus n'a rien pu dire à Samarie ?
Traduction littérale : Rimbaud n'a rien pu dire à Paris. Alors, il choisit de partir et de se taire. Mais il a écrit ce qu'il a écrit, à jamais.

Dans quelle situation subjective se retrouve raisonnablement celui qui fait l'expérience de la perception christique ? Rimbaud, la suite le prouve, n'a rien d'un fou. Bien au contraire, c'est un nouvel être de raison ; il n'a plus rien à communiquer aux fous de son temps. Il vous engage à sentir « l'air léger et charmant de la Galilée ». Vous imaginez à quel point cet « air léger et charmant » est devenu aujourd'hui toxique. Il n'empêche, ce matin même à Paris, Naples, Bordeaux, Venise, Nantes, Strasbourg, New York ou New Delhi, entendons bien en Galilée, vous avez pu respirer, vous aussi, si vous y avez prêté attention – ce qui n'est pas sûr –, pressé de tous côtés par mille choses à faire, un air aussi léger et charmant. Ensuite, les habitants vous ont reçu avec une joie curieuse, ils vous ont vu, secoué par une sainte colère, fouetter les changeurs et les marchands du temple. Ils ont pensé qu'il s'agissait d'un miracle de « la jeunesse pâle et furieuse ». Car, on le sait bien, la colère de la jeunesse peut être sainte au nom de « l'air léger et charmant ».

Considérez d'autre part la précision avec laquelle Rimbaud, en situation de perception christique, observe la tête d'un officier à genoux devant lui : « sa tête était assez plaisante, quoi que à demi chauve ». Ce Christ vécu par Rimbaud a le sens de l'humour. Il voit filer des voitures dans les rues étroites. Il parle un peu hautement à la Sainte Vierge, dans le genre « qu'y a-t-il de commun entre toi et moi ». Puis le récit se fait de plus en plus détaillé : il est question d'« une noce, dans une salle à manger verte et rose ».

Devinez-vous la puissance cinématographique de ce passage, en couleurs, j'insiste ! Nous n'avons rien observé de semblable dans l'industrie du cinéma, en dépit de ce drôle de saint que fut Pasolini qui, en noir et blanc, nous a montré un Christ éclatant de vérité dans sa *Passion selon saint Matthieu* – film dédié à Jean XXIII et Grand Prix de l'Office catholique du cinéma. Ce Saint-Office n'a pas fait, que je sache, une percée dans les salles obscures. C'est bien dommage : on pourrait tirer de la vie de Jésus au moins deux cents films plus passionnants les uns que les autres, pourvu qu'ils soient aussi précis que le Rimbaud des *Proses évangéliques*. Nous emmènerions Renan au cinéma, et pourquoi pas Lévi-Strauss ? Après tout, le Collège de France reste la plus haute instance du savoir. Ajoutez deux ou trois philosophes de renom, ce serait une biennale à couper le souffle.

« Personne, continue Rimbaud, n'avait parlé du vin de Cana – attention ici zoom sur le vin de Cana, un familier des margaux vous parle – à Capharnaüm, ni sur le marché, ni sur les quais. Les bourgeois peut-être. » Qu'ont dit les bourgeois du vin de Cana ? Peut-être ceci : où peut-on l'acheter ? Y a-t-il un restaurant où on le sert ? J'ai bu un très bon cana hier. Il paraît qu'à Cana la récolte a été très bonne, mais qu'il y a aussi des problèmes de falsification de certaines bouteilles et que l'exportation a fléchi...

Quoi qu'il en soit, Rimbaud avec un naturel et une désinvolture qui ne nous surprennent pas de sa part, intimement au fait de ces propos, nous décrit l'officier dont il vient de guérir le fils qui s'en va « comme on porte quelque pharmacie légère », alors que Jésus continue sa route, dit Rimbaud, par « les rues moins fréquentées ». Et que découvre-t-il à ce moment, ce Jésus, à travers les yeux du poète ? « Des liserons orange, des bourraches montraient leur lueur magique entre les pavés. Enfin il vit au loin la prairie poussiéreuse, et les boutons d'or et les marguerites demandant grâce au jour. » Dans le film tiré de ce passage, comme le plan fixe sur les liserons, la prairie poussiéreuse, les boutons d'or et les marguerites dure une heure, le producteur se plaint, il retire son budget de cette affaire qui s'annonce très mal et le scénario, pourtant passionnant à mes yeux, n'obtient pas, malgré quelques pressions de bonne volonté, l'avance sur recettes. Nous voilà bien !

D'autant que tout se gâte dans la troisième partie. Après une heure sur les fleurs vues par Jésus, ce qui, admettez-le, est un scoop – comment Jésus voyait-il les fleurs, les fleurs du bien ? – on arrive à la piscine de Beth-Saïda qui est, dit Rimbaud, « un point d'ennui ». « Il semblait que ce fût un sinistre lavoir, toujours accablé de la pluie et moisi ; et les mendiants s'agitant sur les marches intérieures blêmies par ces lueurs d'orages précurseurs des éclairs d'enfer, en plaisantant sur leurs yeux bleus aveugles, sur les linges blancs ou bleus dont s'entouraient leurs moignons. »

Ce Jésus, dit Rimbaud, fait là sa première action grave avec « les infâmes infirmes ». Le rapprochement inhabituel de ces deux mots ne devrait pas nous étonner si nous avons lu l'épisode d'*Ainsi parlait Zarathoustra* sur la rédemption.

« Comme Zarathoustra un jour franchissait le Grand Pont, les éclopés et les mendiants l'entourèrent, et un bossu lui parla ainsi :
"Regarde, Zarathoustra ! Même le peuple s'instruit à t'écouter et la foi en ta doctrine le gagne : mais pour qu'il te croie tout à fait il est encore besoin d'une chose – il faut que tu nous convainques, nous les éclopés ! en voici sous tes yeux une digne sélection, en vérité une occasion que tu ne peux manquer ! Tu peux guérir des aveugles et faire marcher des paralytiques ; et celui qui

75

en a trop sur le dos, tu pourrais sans doute lui en ôter un peu : – à mon avis, ce serait une bonne façon d'inciter les éclopés à croire en Zarathoustra !"

Mais voici comment Zarathoustra répondit à celui qui avait discouru de la sorte : "Si l'on retire sa bosse au bossu, on lui ôte son esprit – la sagesse du peuple le dit. Et si l'on rend ses yeux à l'aveugle, il lui apparaît trop de choses mauvaises sur la terre : en sorte qu'il maudit celui qui l'a guéri. Mais le plus grand tort, c'est en faisant marcher un paralytique qu'on le cause : car à peine peut-il courir qu'il se sauve avec tous ses vices – voilà ce que dit la sagesse du peuple au sujet des éclopés. Et pourquoi Zarathoustra ne devrait-il pas lui aussi s'instruire auprès du peuple, s'il est vrai que le peuple s'instruit à écouter Zarathoustra ? "

Depuis que je suis parmi les hommes, le moindre de mes soucis, c'est bien de voir ceci : "À un tel manque un œil ; à tel autre une oreille, à tel troisième une jambe, et il y en a d'autres qui ont perdu la langue ou le nez ou la tête."

Je vois, j'ai vu bien pire, des choses si horribles que je suis incapable d'en parler – ou que je ne puis garder sur elles le silence : j'ai vu des hommes à qui tout manquait, sauf un seul membre dont ils avaient bien trop – des hommes qui n'étaient rien qu'un grand œil, une grande gueule ou un gros ventre ou n'importe quoi d'autre de gros – ces hommes-là, je les appelle des éclopés à l'envers. »

Encore une fois, sur quoi Rimbaud insiste-t-il ? Sur la description du bien :

« Il y avait un jour, de février, mars ou avril, où le soleil de deux heures après midi, laissait s'étaler une grande faux de lumière sur l'eau ensevelie, et comme, là-bas, loin derrière les infirmes, j'aurais pu voir tout ce que ce rayon seul éveillait de bourgeons et de cristaux et de vers, dans le reflet, pareil à un ange blanc couché sur le côté, tous les reflets infiniment pâles remuaient.

Alors tous les péchés, fils légers et tenaces du démon, qui, pour les cœurs un peu sensibles, rendaient ces hommes plus effrayants que les monstres, voulaient se jeter à cette eau. Les infirmes descendaient, ne raillant plus ; mais avec envie. »

On retient trop vaguement ce que le Christ a dit. C'est grave, puisque ses paroles sont censées ne jamais passer, ni être au passé – mais quant à le mettre en situation, dans le saisonnement du temps, à travers une vue perçante, là, plus personne ne se risque.

Dans le passage cité, Rimbaud décrit un instant bien précis, celui où une grande faux de lumière implique qu'en se jetant à l'eau, à ce moment-là, la guérison est rendue possible. Rimbaud raconte ensuite ce que l'on dit de la superstition locale, à savoir que les premiers entrés étaient les premiers guéris. Et il ajoute, tranchant : non. « Les péchés les rejetaient sur les marches, et les forçaient de chercher d'autres postes : car leur Démon ne peut rester qu'aux lieux où l'aumône est sûre. » Il vient d'être midi, personne ne lave, ni ne descend de bêtes. « La lumière dans la piscine était jaune comme les dernières feuilles des vignes. Le divin maître – tout mettre au présent – se tenait contre une colonne : il regardait les fils du Péché ; le démon tirait sa langue en leur langue ; et riait ou niait. » Ce rire de négation doit nous rappeler qu'au début d'*Une saison en enfer* nous avons une phrase explicite : « Je me suis allongé dans la boue. Je me suis séché à l'air du crime. Et j'ai joué de bons tours à la folie. Et le printemps m'a apporté l'affreux rire de l'idiot. » Le démon est évidemment idiot. Les possédés du démon sont saisis par l'idiotie. Et le dernier mot de cette prose évangélique est « les damnés ».

Rimbaud, qui dans ce passage se décrit comme Jésus guérissant un paralytique, commence justement sa *Saison en enfer* en disant qu'il va détacher « quelques hideux feuillets de son carnet de damné ». Quand vous lisez que ce paralytique se lève et que « les damnés le voient d'un pas singulièrement assuré », vous entendez aussi la fin d'*Une saison en enfer* :

« Oui, l'heure nouvelle est au moins très sévère.

Car je puis dire que la victoire m'est acquise : les grincements de dents, les sifflements de feu, les soupirs empestés se modèrent. Tous les souvenirs immondes s'effacent. Mes derniers regrets détalent, – des jalousies pour les mendiants, les brigands, les amis de la mort, les arrières de toutes sortes. – Damnés, si je me vengeais !

Il faut être absolument moderne.

Point de cantiques : tenir le pas gagné. »

Autrement dit, il s'agit de ne pas rester possédé. Et qu'est-ce que guérir, sinon rentrer en possession de soi-même ?

*
* *

Quand Nietzsche dans ses derniers messages parle de « Dionysos contre le Crucifié », nous devons entendre que le prodigieux courant de force qui résulterait réellement de la résurrection n'ose pas être pensé et, par conséquent, que le sacrificiel mortel l'emporte sur toute représentation du corps ressuscitable.

Pour Hölderlin, Héraclès, Dionysos et Jésus sont frères. Je cite des fragments de son poème *L'Unique* :

> *Mais je le sais, la faute*
> *Est de moi seul. Car une ferveur trop vive*
> *À toi me lie, ô Christ !*
> *Et cependant tu es le frère d'Héraclès.*

Et plus loin :

> *Héraclès est tel un prince. Et Dionysos l'unanime esprit.*
> *Mais le Christ est*
> *La fin. Et sans doute d'une autre nature encore,*
>   *[mais il parfait*
> *Ce qui manquait aux autres pour*
> *Que la présence des Divins fût totale.*

VI

« Je dis qu'il faut être voyant, se faire voyant.

Le Poète se fait *voyant* par un long, immense et raisonné *dérèglement de tous les sens*. Toutes les formes d'amour, de souffrance, de folie ; il cherche en lui-même, il épuise en lui tous les poisons, pour n'en garder que les quintessences. »

Ainsi, en 1871, dans sa lettre dite du « Voyant », Rimbaud rejoignait-il la mystique pythagoricienne de l'harmonie générale et la condensation platonicienne de tout ce qui est dans les Mystères d'Éleusis que nous étudierons plus tard.

*
**

« Nommons voyants les poètes sacrés, nommons voyance d'une espèce supérieure la création poétique : l'Histoire peut alors se comparer au cristallin de l'œil ; qui ne se voit pas lui-même, mais qui est indispensable à la vision, pour concentrer la lumière ; sa nature est clarté, pureté, absence de douleur. »

Ce fragment est signé d'un jeune génie, né un jour d'éclipse, en 1772 – j'ai nommé Novalis, le Prince du Romantisme allemand, véritable Ariel de la pensée, que couronne de sainteté la plénitude d'une vie accomplie avec passion.

« L'homme parfaitement lucide s'appelle le voyant. »

De Novalis, entre autres signes mystérieux, il faut savoir que c'est le 15 mars (1795) qu'il s'est fiancé, le 17 mars (1782) qu'est née sa promise, le 19 mars (1797) qu'elle est morte et le 21 mars qu'il en eut la nouvelle. « Ne pouvais-je espérer que je la suivrais le 23 mars ? » déclara-t-il, ignorant qu'il allait mourir le 25 mars (1801).

**

Adolescent, Friedrich von Hardenberg prit le pseudonyme latin de Novalis. « Novale », en français, désigne une terre fraîchement défrichée. Hendrik Steffens le décrit : « Il était tout entier poète et rien d'autre que poète. Toute la vie pour lui n'était qu'un mythe profond ; les apparences, à ses yeux, étaient mouvantes autant que les paroles, et la réalité sensorielle et sensuelle – tantôt plus sombre, tantôt plus claire – se rattachait exclusivement au monde mythique dans lequel il vivait. On ne pouvait l'appeler un mystique, au sens habituel, puisque ceux-ci cherchent derrière le monde sensible dont ils se sentent prisonniers une réalité spirituelle qui en détient le profond secret et en cache la liberté. Non : pour lui, ce lieu secret était sa patrie originelle. » Une note du journal d'un professeur d'Iéna, Niethammer, évoque ce soir de l'été 1795 où Fichte, Hölderlin et Novalis se rencontrèrent chez lui : « Beaucoup parlé de la religion, de la Révélation et de toutes les questions philosophiques qui apparaissent ici encore sans réponse. » De ce jeune homme, mort à vingt-neuf ans, alors que son frère lui jouait du piano, Armel Guerne nous dit ceci : « La fréquentation de Novalis n'est pas une fréquentation artistique ou esthétique ; elle est une fréquentation intérieure, une amitié, et une amitié telle qu'à partir de là on est armé une fois pour toutes contre les secousses que peut vous amener la vie. Moi-même, j'ai été mêlé à toutes les horreurs de l'Occupation, aux prisons, aux menaces de mort et, au fond, c'est Novalis qui m'a aidé à tenir le coup. »

La raison ? On peut sans nul doute la trouver dans ce fragment : « Seule la faiblesse de nos organes et de notre contact avec nous-mêmes nous empêche de nous apercevoir dans un monde de fées. »

Dans son roman *Henri d'Ofterdingen*, écrit en 1800, Novalis invente un « conte », celui du déroulement d'un jeu dans le palais du roi (traduction Marcel Camus) :

« Les servantes apportèrent une table et un coffret qui renfermait un grand nombre de cartons recouverts de mystérieux hiéroglyphes, composés uniquement avec des figures de constellations. Le roi baisa ces cartons avec respect, les mêla avec soin, et en tendit quelques-uns à sa fille. Il garda le reste pour lui. La princesse les tirait l'un après l'autre et les posait sur la table ; puis le roi considérait les siens avec attention et méditait longuement son choix avant d'en poser un auprès d'eux. Parfois il semblait contraint de prendre l'un ou l'autre. Mais souvent la joie se lisait sur son visage lorsqu'il réussissait, grâce à une carte bien choisie, à former une belle harmonie de signes et de figures. Dès que le jeu commença, l'assistance à l'entour fit voir les marques du plus vif intérêt ainsi qu'une mimique et des gestes étranges, comme si chacun avait en main un outil invisible dont il se servait pour travailler avec acharnement. En même temps se faisait entendre une musique douce, mais profondément émouvante : elle semblait avoir sa source dans les étoiles qui s'entremêlaient en d'étonnantes figures à travers la salle, ainsi que dans tous ces autres mouvements extraordinaires. Tantôt lentes, tantôt rapides, les étoiles se mouvaient en orbites continuellement changeantes : au rythme de la musique elles reproduisaient avec beaucoup d'art les figures que formaient les cartons. La mélodie changeait sans cesse, comme les images sur la table, et bien que les variations tout à fait surprenantes et brusquées ne fussent pas rares, un thème unique et simple semblait relier tout l'ensemble. Avec une légèreté incroyable, les étoiles volaient en suivant les images. Tantôt elles formaient un unique et vaste entrelacement, tantôt elles revenaient s'ordonner harmonieusement en petits groupes séparés ; parfois leur long cortège s'éparpillait comme un jet d'eau en une poussière d'étincelles innombrables, ensuite, l'accroissement continu de petits cercles et de petits dessins faisait réapparaître une figure unique, grandiose et étonnante. »

*
* *

Par-delà le temps, Novalis retrouve Platon, qui retrouve Pythagore, qui retrouve Rimbaud, dont nous devons citer à présent *Génie*.

« Il est l'affection et le présent puisqu'il a fait la maison ouverte à l'hiver écumeux et à la rumeur de l'été, lui qui a purifié les boissons et les aliments, lui qui est le charme des lieux fuyants et le délice surhumain des stations. Il est l'affection et l'avenir, la force et l'amour que nous, debout dans les rages et les ennuis, nous voyons passer dans le ciel de tempête et les drapeaux d'extase.

Il est l'amour, mesure parfaite et réinventée, raison merveilleuse et imprévue, et l'éternité : machine aimée des qualités fatales. Nous avons tous eu l'épouvante de sa concession et de la nôtre : ô jouissance de notre santé, élan de nos facultés, affection égoïste et passion pour lui, lui qui nous aime pour sa vie infinie...

Et nous nous le rappelons et il voyage... Et si l'Adoration s'en va, sonne, sa promesse sonne : "Arrière ces superstitions, ces anciens corps, ces ménages et ces âges. C'est cette époque-ci qui a sombré !"

Il ne s'en ira pas, il ne redescendra pas d'un ciel, il n'accomplira pas la rédemption des colères de femmes et des gaîtés des hommes et de tout ce péché : car c'est fait, lui étant, et étant aimé.

Ô ses souffles, ses têtes, ses courses ; la terrible célérité de la perfection des formes et de l'action.

Ô fécondité de l'esprit et immensité de l'univers !

Son corps ! Le dégagement rêvé, le brisement de la grâce croisée de violence nouvelle !

Sa vue, sa vue ! tous les agenouillages anciens et les peines *relevés* à sa suite.

Son jour ! l'abolition de toutes souffrances sonores et mouvantes dans la musique plus intense.

Son pas ! les migrations plus énormes que les anciennes invasions.

Ô lui et nous ! l'orgueil plus bienveillant que les charités perdues.

Ô monde ! et le chant clair des malheurs nouveaux !

Il nous a connus tous et nous a tous aimés. Sachons, cette nuit d'hiver, de cap en cap, du pôle tumultueux au château, de la foule à la plage, de regards en regards, forces et sentiments las, le héler et le voir et le renvoyer, et sous les marées et au haut des déserts de neige, suivre ses vues, ses souffles, son corps, son jour. »

Qui est ce Génie ? Un texte de Rimbaud, intitulé « Conte », nous met sur la voie :

« Un Prince était vexé de ne s'être employé jamais qu'à la perfection des générosités vulgaires. Il prévoyait d'étonnantes révolutions de l'amour, et soupçonnait ses femmes de pouvoir mieux que cette complaisance agrémentée de ciel et de luxe. Il voulait voir la vérité, l'heure du désir et de la satisfaction essentiels. Que ce fût ou non une aberration de piété, il voulut. Il possédait au moins un assez large pouvoir humain.

Toutes les femmes qui l'avaient connu furent assassinées. Quel saccage du jardin de la beauté ! Sous le sabre, elles le bénirent. Il n'en commanda point de nouvelles. – Les femmes réapparurent.

Il tua tous ceux qui le suivaient, après la chasse ou les libations. – Tous le suivaient.

Il s'amusa à égorger les bêtes de luxe. Il fit flamber les palais. Il se ruait sur les gens et les taillait en pièces. – La foule, les toits d'or, les belles bêtes existaient encore.

Peut-on s'extasier dans la destruction, se rajeunir par la cruauté ! Le peuple ne murmura pas. Personne n'offrit le concours de ses vues.

Un soir il galopait fièrement. Un Génie apparut, d'une beauté ineffable, inavouable même. De sa physionomie et de son maintien ressortait la promesse d'un amour multiple et complexe ! d'un bonheur indicible, insupportable même ! Le Prince et le Génie s'anéantirent probablement dans la santé essentielle. Comment n'auraient-ils pas pu en mourir ? Ensemble donc ils moururent.

Mais ce Prince décéda dans son Palais, à un âge ordinaire. Le Prince était le Génie. Le Génie était le Prince.

La musique savante manque à notre désir. »

Le premier mot de « Génie » est une manière de portrait chinois qui ne pourra aboutir à aucun nom, sauf à un pronom personnel singulier : « Il ». Rimbaud parle, par ailleurs, d'un « être de beauté » ; il l'appelle en anglais *Being Beauteous* (selon l'expression tirée de *Footsteps of Angels* du poète Longfellow) :

« Devant une neige un Être de Beauté de haute taille. Des sifflements de mort et des cercles de musique sourde font monter, s'élargir et trembler comme un spectre ce corps adoré ; des blessures écarlates et noires éclatent dans les chairs superbes. Les couleurs propres de la vie se foncent, dansent et se dégagent autour de la Vision, sur le chantier. Et les frissons s'élèvent et grondent, et la saveur forcenée de ces effets se chargeant avec les sifflements mortels et les rauques musiques que le monde, loin derrière nous, lance sur notre mère de beauté, – elle recule, elle se dresse. Oh ! nos os sont revêtus d'un nouveau corps amoureux. »

Il est important de noter tout de suite que ce « Il », « nouvel être d'amour », doté d'un « nouveau corps amoureux », a « purifié les boissons et les aliments ». Après quoi se décline son identité multiple, l'affection, le présent, la maison ouverte à l'hiver écumeux et à la rumeur de l'été, bref le saisonnement du temps. L'affection et le présent, c'est aussi bien « l'avenir », mais encore « la force et l'amour ». Qu'est-ce que l'amour ? Dieu est amour, paraît-il. Je veux bien. Voilà un mot qui nous entraîne dans des confusions considérables, on le met désormais à toutes les sauces, notamment érotiques ou perverses (merci Freud). Mais j'attends toujours qu'on m'en parle en termes de logique, et de logique musicale – « la mesure parfaite et réinventée ». Donc en termes de raison, je veux dire aussi bien d'accord, d'harmonie : « Raison imprévue et l'éternité ». Car

Elle est retrouvée ?
– Quoi ? – l'Éternité.
C'est la mer mêlée
Au soleil.

Il s'agit de jouir de notre santé, le contraire de jouir, selon la formule de Kierkegaard, de « la maladie à la mort ». « Ô jouissance de notre santé, élan de nos facultés, affection égoïste et passion pour lui, lui qui nous aime pour sa vie infinie. » Étrange affection faite d'égoïsme et de passion pour les autres. Mais dites-moi, si Jésus-Christ est ressuscité ici et maintenant, dans les siècles des siècles, disons plutôt été et hiver, ou matin et soir, pourvu que ce soit « le jour en feu », si c'est bien de cela qu'il s'agit, tout devient simple : le Christ n'a plus besoin d'être nommé ; « et nous nous le rappelons et il voyage... Et si l'Adoration s'en va, sonne, sa promesse sonne. »

Cette promesse ? Disons-le, elle est rude : « Arrière ces superstitions, ces anciens corps, ces ménages et ces âges. C'est cette époque-ci qui a sombré ! » Surtout que vous pouvez toujours attendre, ce Christ « ne redescendra pas d'un ciel ». Il n'accomplira aucune rédemption, il n'en est plus besoin, tout est accompli – le contraire de consommé –, « lui étant et étant aimé ». À la fin du texte, Rimbaud décrit encore cet être qui n'est ni le messie de l'ancien monde, ni celui qu'on attendrait encore, mais qui est là, infini en acte, et que nous devrions reconnaître si nous nous en donnions seulement les moyens.

Rimbaud évoque ses souffles, ses têtes, ses courses. Traduction immédiate : il a plus d'un souffle, plusieurs têtes et de nombreux rythmes de course. Nous sommes ici, dit-il, dans une « terrible célérité ». Je souligne ce mot pour insister sur l'extrême rapidité de ce personnage qui contredit toute lenteur, toute lourdeur. Plus loin, il est précisé : « Terrible célérité de la perfection des formes et de l'action ». On devrait s'attendre à ce que les formes soient plus ou moins stables, qu'elles viennent à nous dans une sorte de frontalité sans mouvement. Or, précisément, nous sommes dans un mouvement ultra-rapide, celui de la perfection des formes. Comment se fait-il que celle-ci, loin de toute contemplation reposante, qui virerait vite au voyage touristique, se présente à nous comme absolument fulgurante ? Et si aucune passivité n'est requise, c'est que sont mises sur le même plan la « fécondité de l'esprit » et l'« immensité de l'univers ». C'est bien d'un même geste de dégagement que se dévoilent la « fécondité de l'esprit » et l'« immensité de l'univers ».

Nous ne sommes plus dans la séparation effrayante que nous pouvions ressentir autrefois par rapport aux espaces infinis. S'agit-il toujours d'une expérience humaine ? Sans doute, bien que nous devions déjà tenter de la penser comme transhumaine – pour reprendre le « trasumanar » formulé chez Dante –, en évitant de tomber dans le piège du surhumain dont Nietzsche tend faussement l'appât.

En effet, voici un corps de « dégagement rêvé ». Le mot de « dégagement » se ressource dans celui de rêve, ici très important, dans la mesure où l'engagé nous tient dans une dette toujours imaginaire. « Le dégagement rêvé du corps » – la *sprezzatura* comme l'italien sait le dire – donne dans la foulée sur un « brisement de la grâce croisée de violence nouvelle ». Superbe corps, mieux qu'athlétique, spirituel, qui croise la grâce et la violence pour se dégager. Aussitôt après, dans une exclamation extatique et redoublée, Rimbaud nous parle de ce qui est atteint par la vue devenue vision, à savoir que, dans le sillage de ce nouvel être, « tous les agenouillages anciens et les peines » sont « relevés à sa suite ». Il souligne le mot « relevés » qui rompt avec la pénibilité, la pénalité et toute pratique dévotionnelle. Pour Rimbaud, le salut se trouve-t-il naturellement accompli ? La rédemption ne pose donc plus aucun problème ? Les tentatives de transaction à son sujet seraient enfin closes ? Rimbaud l'annonce dans son illumination intitulée *Solde* :

« À vendre ce que les Juifs n'ont pas vendu, ce que noblesse ni crime n'ont goûté, ce qu'ignorent l'amour maudit et la probité infernale des masses ; ce que le temps ni la science n'ont pas à reconnaître ;

Les Voix reconstituées ; l'éveil fraternel de toutes les énergies chorales et orchestrales et leurs applications instantanées ; l'occasion, unique, de dégager nos sens !

À vendre les Corps sans prix, hors de toute race, de tout monde, de tout sexe, de toute descendance ! Les richesses jaillissant à chaque démarche ! Solde de diamants sans contrôle !

À vendre l'anarchie pour les masses ; la satisfaction irrépressible pour les amateurs supérieurs ; la mort atroce pour les fidèles et les amants !

À vendre les habitations et les migrations, sports, féeries et comforts parfaits, et le bruit, le mouvement et l'avenir qu'ils font !

À vendre les applications de calcul et les sauts d'harmonie inouïs. Les trouvailles et les termes non soupçonnés, possession immédiate,

Élan insensé et infini aux splendeurs invisibles, aux délices insensibles, – et ses secrets affolants pour chaque vice – et sa gaîté effrayante pour la foule.

À vendre les Corps, les voix, l'immense opulence inquestionnable, ce qu'on ne vendra jamais. Les vendeurs ne sont pas à bout de solde ! Les voyageurs n'ont pas à rendre leur commission de si tôt. »

Ce texte est évidemment ironique : que pourrions-nous acheter de cet inventaire ? À vendre « ce qu'on ne vendra jamais », « les voyageurs n'ont pas à rendre leur commission de si tôt ». Beau défi à l'ordre qui se met en place. Supposons que l'Église catholique vende un jour tous ses biens, architecture, peinture, sculpture, orfèvrerie, bâtiments divers. Imaginez le résultat immédiat : crise de l'économie mondiale.

Le jour qui se lève ainsi – le jour de Génie, le jour G, jour flamboyant s'il en fut – abolit, dit Rimbaud, « toute souffrance sonore et mouvante dans la musique plus intense ». Le rappel de la musique est d'une particulière insistance, comme si « les souffrances sonores et mouvantes » tenaient d'abord à notre adhérence aux « agenouillages anciens », aux « peines ». Pour ma part, je souffre du son, du bruit et des voix presque à chaque instant – voix mécaniques, hurlantes, vociférantes, maniérées, empressées, bavardes, infantiles, marchandes d'elles-mêmes, mensongères, balbutiantes ou impératives, révélatrices en tout cas d'une dissociation de la voix et du corps. Les voix disent l'atonie du corps, ses capacités refusées. Elles indiquent une surdité totale à « la musique plus intense », d'ailleurs toujours portée par une grande capacité de silence. Rimbaud ne plaide pas pour une musique plus sonore : il la veut plus profonde. Soit exactement, en termes musicaux, l'espace entre un grand interprète et un simple exécutant. Quelques notes et on sait l'intensité présente ; une simple phrase – « de droit ou de force, de logique bien imprévue » – et on devine la parole habitée.

Après les souffles, les têtes, les courses, la fécondité de l'esprit, l'immensité de l'univers, le dégagement du corps, la vue et le jour, il est question du pas de Génie. Ce pas, qui, dans À *une raison*, augure « la levée des nouveaux hommes et leur en-marche », annonce désormais des « migrations plus énormes que les anciennes invasions ». Prophétie dont, après les grands désastres du XXᵉ siècle, nous ne voyons encore que les commencements. Par ailleurs, comble d'étrangeté, notre rapport à ce nouvel être de « raison imprévue » implique soudain un « orgueil plus bienveillant que les charités perdues ». Perspective pour le moins étonnante. Ce péché d'orgueil impliquerait une particulière bienveillance, la charité ayant été perdue ? Eh bien, oui. Il faut enfin rompre avec la servitude volontaire le plus souvent fondée, c'est démontrable, sur les passions masochistes Il y a indubitablement une jouissance dans le fait de servir, de perdre et de disparaître, rarement assumée, trop souvent imputée au méchant ou au diable. Rimbaud se dresse tout entier contre la tentation du martyre gratifiant. La preuve, il parle du « chant clair des malheurs nouveaux ». Il détourne la représentation du malheur de façon telle que ne s'en élève plus un cri, un gémissement ni une plainte (toute plainte, dit Nietzsche, est une accusation) mais « un chant clair ».

Reste à citer la dernière séquence, sublime.

« Il nous a connus tous et nous a tous aimés. Sachons, cette nuit d'hiver, de cap en cap, du pôle tumultueux au château, de la foule à la plage, de regards en regards, forces et sentiments las, le héler et le voir et le renvoyer, et sous les marées et au haut des déserts de neige, suivre ses vues, ses souffles, son corps, son jour. »

Grand art de la composition chez Rimbaud. Il ramasse toutes les propositions antérieures en situant sa position qui reste, pour l'essentiel, la nôtre, celle d'une nuit d'hiver. Nous sommes dans la nuit, c'est l'hiver, le désert croît, le malheur est total, mais il peut nous donner la chance – disons, la grâce – d'un chant clair.

Comme le dit Hölderlin :

... Un Génie alors
Rapide au-delà de mon attente
Et si loin que jamais je n'eusse
Rêvé même d'y parvenir, hors de ma demeure
M'emporta...

VII

« Au commencement était le Verbe, et le Verbe était avec Dieu, et le Verbe était Dieu », dit saint Jean au début de son Évangile. Remarquons que le même mot, *Logos*, traduit en latin par *Verbum*, en français par Verbe, signifie en grec raison, raisonnement et rapport (le jugement, faculté essentielle de l'intelligence raisonnante, est du reste la juste perception des rapports entre les idées et les choses), cependant qu'il exprime la notion de déité. La philologie nous le dit bien : Dieu est raison, tandis que la raison est l'expression glorieuse de Dieu en Majesté. Vingt-cinq siècles après Pythagore, Hegel écrit également dans sa Préface aux *Principes de la philosophie du droit*, datée du 25 juin 1820 : « Ce qui est rationnel, c'est cela qui est réel, et ce qui est réel, c'est cela qui est rationnel. »

*
* *

Au Japon, un rythme corporel spécifique enveloppe les vues, les souffles et les jours. On en retrouve la trace dans la tradition du *renku*, cette forme poétique bien définie, qu'on appelle en France *haïku*. Le haïku sert à désigner un petit poème de 17 syllabes. Il s'agit d'un exercice poétique où alternent des groupes de 3 et 2 vers sur le schéma « 5 syllabes-7 syllabes-5 syllabes » et « 7 syllabes-7 syllabes ». On en rencontre, dès le IXe siècle, qui ont parfois plusieurs centaines de vers. Le haïku, proprement dit, est à l'origine le premier groupe 5-7-5, détaché de l'ensemble, ou de poèmes courts appelés *tanka*. Une illumination ?

> *Le Grand Bouddha –*
> *Sa fraîcheur*
> *inhumaine !*

<center>**</center>

Pour accorder l'intervalle entre deux termes, il s'agit d'abord de trouver la médiateté qui peut donner naissance à la proportion. Chez Platon, ces expressions sont indifféremment appliquées à des proportions du domaine des mathématiques, de la cosmogonie et de la musique ; le problème harmonique général consiste à mettre en proportion les intervalles, grâce à des termes qui soient, avec les termes initiaux donnés, dans des rapports très définis. On obtient alors l'accord des intervalles. Intercaler le moyen terme dans un syllogisme ; relier par l'éclair de la métaphore juste deux images baignant dans le flot du rythme prosodique ; joindre par l'eurythmie fondée sur l'analogie des formes les surfaces et les volumes architectoniques, toutes ces opérations, en fait, sont parallèles les unes aux autres. Elles sont analogues à la création de l'harmonie musicale que célèbrent les pythagoriciens. Dans un chapitre du *Timée*, Platon traite du « Rythme de l'Âme du Monde » ; il se sert de la double tétractys musicale des pythagoriciens,

$$(1 + 3 + 5 + 7) + (2 + 4 + 6 + 8) = 36$$

somme des quatre premiers nombres pairs et des quatre premiers nombres impairs, comme d'un cadre pour établir la septuple gamme céleste. Platon unit d'abord en une progression complexe (1, 2, 3, 4, 9, 8, 27) deux progressions géométriques (1, 2, 4, 8 et 1, 3, 9, 27) puis comble à deux reprises tous les intervalles aussi bien par des médiatetés arithmétiques que par des médiatetés harmoniques, pour obtenir finalement une échelle musicale de 36 termes et 35 tons et « leimmas », au lieu des 5 tons et 2 « leimmas » de la gamme classique. À quelle fin ? Les tons de la septuple gamme céleste permettent d'orchestrer l'harmonie des sphères.

*
* *

La Tétractys, dont la découverte par Pythagore fut considérée tellement importante que le serment sacré des pythagoriciens l'invoque, était la suite des quatre premiers nombres 1, 2, 3, 4 déterminée comme suite et comme ensemble ; c'était donc $(1 + 2 + 3 + 4 = 10)$ en réalite la Décade en tant que quatrième nombre triangulaire. Les nombres triangulaires

$1, 1 + 2, 1 + 2 + 3, 1 + 2 + 3 + 4, 1 + 2 + 3 + 4 + 5...$,
c'est-à-dire 1, 3, 6, 10, 15, 21

ont comme correspondants dans l'espace à trois dimensions les nombres tétraédiques ou pyramidaux

$$1, \quad 1+3, \quad 1+3+6, \quad 1+3+6+10..., \quad \text{c'est-à-dire}$$
1, 4, 10, 20, 35...

La Tétractys avait ainsi les qualités transcendantes de la Décade et les qualités dynamiques de la croissance triangulaire, base elle-même de la génération de tous les nombres figurés plans ou solides. Enfin, elle participait des qualités harmoniques de la progression 1, 2, 3, 4. En effet, le rapport de 4 à 2 ou de 2 à 1 représente l'octave, celui de 3 à 2 la quinte, celui de 4 à 3 la quarte. On peut donc dire que la Tétractys est l'ensemble des quatre nombres dont les rapports représentent les accords musicaux essentiels. La Tétractys arrive ainsi à être identifiée avec l'Harmonie même dans le catéchisme des pythagoriciens dont Aristote nous a conservé l'illumination :

« Tétractys, harmonie pure, celle des Sirènes. »

Voilà le moment venu de faire intervenir Lautréamont, dont l'*incipit* des *Chants de Maldoror* est une reprise littérale du dernier vers du deuxième chant de *L'Enfer* de Dante. Je cite le texte italien :

Intrai per lo cammino alto e silvestro

« Un jour, ce qu'il y a au monde de plus silencieux et de plus léger est venu à moi. »

Nietzsche

« Je ne connais pas d'autre grâce que celle d'être né. Un esprit impartial la trouve complète. »

Lautréamont

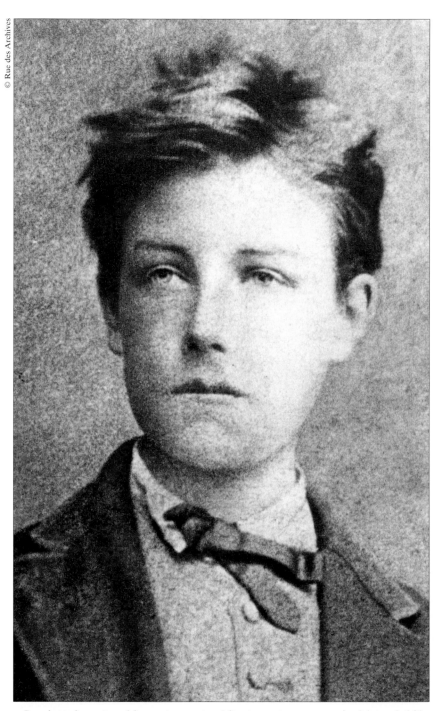

« Je suis un inventeur bien autrement méritant que tous ceux qui m'ont précédé ;
un musicien même, qui ai trouvé quelque chose comme la clef de l'amour. »

Rimbaud

« Les cavales qui m'emportent m'ont entraîné aussi loin que mon cœur en formait le désir. »

Parménide

« Il voit l'obscurité et entend le silence. Lui seul perçoit la lumière derrière l'obscurité ; lui seul perçoit l'harmonie derrière le silence. »

Tchouang-tseu

« Avec Alfred Deller, c'était comme si les siècles remontaient leur cours… »

« Tout proche
Et difficile à saisir, le dieu !
Mais aux lieux du péril croît
Aussi ce qui sauve. »

Hölderlin

« Non pas le besoin d'une époque, non pas le besoin d'un siècle, mais le besoin de deux millénaires. »

Heidegger

« Plût au ciel que le lecteur, enhardi et devenu momentanément féroce comme ce qu'il lit, trouve, sans se désorienter, son chemin abrupt et sauvage, à travers les marécages désolés de ces pages sombres et pleines de poison ; car, à moins qu'il n'apporte dans sa lecture une logique rigoureuse et une tension d'esprit égale au moins à sa défiance, les émanations mortelles de ce livre imbiberont son âme comme l'eau le sucre. Il n'est pas bon que tout le monde lise les pages qui vont suivre : quelques-uns seuls savoureront ce fruit amer sans danger. Par conséquent, âme timide, avant de pénétrer plus loin dans de pareilles landes inexplorées, dirige tes talons en arrière et non en avant. Écoute bien ce que je te dis : dirige tes talons en arrière et non en avant, comme les yeux d'un fils qui se détourne respectueusement de la contemplation auguste de la face maternelle. »

Voici à présent le chant II, strophe 10, des *Chants de Maldoror* :

« Ô mathématiques sévères, je ne vous ai pas oubliées, depuis que vos vivantes leçons, plus douces que le miel, filtrèrent dans mon cœur, comme une onde rafraîchissante. J'aspirais instinctivement, dès le berceau, à boire à votre source, plus ancienne que le soleil, et je continue encore de fouler le parvis sacré de votre temple solennel, moi, le plus fidèle de vos initiés. Il y avait du vague dans mon esprit, un je-ne-sais-quoi épais comme de la fumée ; mais je sus franchir religieusement les degrés qui mènent à votre autel, et vous avez chassé ce voile obscur, comme le vent chasse le damier. Vous avez mis, à la place, une

101

froideur excessive, une prudence consommée et une logique implacable. À l'aide de votre lait fortifiant, mon intelligence s'est rapidement développée et a pris des proportions immenses, au milieu de cette clarté ravissante dont vous faites présent, avec prodigalité, à ceux qui vous aiment d'un sincère amour. Arithmétique ! algèbre ! géométrie ! trinité grandiose ! triangle lumineux ! Celui qui ne vous a pas connues est un insensé ! Il mériterait l'épreuve des plus grands supplices ; car, il y a du mépris aveugle dans son insouciance ignorante ; mais, celui qui vous connaît et vous apprécie ne veut plus rien des biens de la terre ; se contente de vos jouissances magiques ; et, porté sur vos ailes sombres, ne désire plus que de s'élever, d'un vol léger, en construisant une hélice ascendante, vers la voûte sphérique des cieux. La terre ne lui montre que des illusions et des fantasmagories morales ; mais vous, ô mathématiques concises, par l'enchaînement rigoureux de vos propositions tenaces et la constance de vos lois de fer, vous faites luire, aux yeux éblouis, un reflet puissant de cette vérité suprême dont on remarque l'empreinte dans l'ordre de l'univers. Mais, l'ordre qui vous entoure, représenté surtout par la régularité parfaite du carré, l'ami de Pythagore, est encore plus grand ; car, le Tout-Puissant s'est révélé complètement, lui et ses attributs, dans ce travail mémorable qui consista à faire sortir, des entrailles du chaos, vos trésors de théorèmes et vos magnifiques splendeurs. Aux époques antiques et dans les temps modernes, plus d'une grande imagination humaine vit son génie, épouvanté, à la contemplation de vos figures symboliques tracées sur le papier brûlant comme autant de signes mystérieux, vivants d'une haleine latente, que ne comprend pas le vulgaire profane et qui n'étaient que la révélation éclatante d'axiomes et d'hiéroglyphes éternels, qui ont existé avant l'univers et qui se maintiendront après lui. Elle se demande, penchée vers le précipice d'un point d'interrogation fatal, comment se fait-il que les mathématiques contiennent tant d'imposantes grandeurs et tant de vérité incontestable tandis que, si elle les compare à l'homme, elle ne trouve en ce dernier que faux orgueil et mensonge. Alors, cet esprit supérieur, attristé, auquel la familiarité noble de vos conseils fait sentir davantage la petitesse de l'humanité et son incomparable folie, plonge sa tête, blanchie, sur une main décharnée et reste absorbé dans des méditations surnaturelles. Il incline ses genoux devant vous, et sa vénération rend hommage à votre visage divin comme à la propre image du Tout-Puissant. Pendant mon enfance, vous m'apparûtes, une nuit de mai, aux rayons de la lune, sur une prairie verdoyante, aux bords d'un ruisseau limpide, toutes les trois égales en grâce et en pudeur, toutes les trois pleines de majesté comme des reines. Vous fîtes quelques pas vers moi, avec votre longue robe, flottante comme une vapeur, et vous m'attirâtes vers vos fières mamelles, comme un fils béni. Alors, j'accourus avec empressement, mes mains crispées sur votre blanche gorge. Je me suis nourri, avec reconnaissance, de votre manne féconde, et j'ai senti que l'humanité grandissait en moi, et devenait meilleure. Depuis ce temps, ô déesses rivales, je ne vous ai pas abandonnées. Depuis ce temps, que de projets énergiques, que de sympathies, que je croyais avoir gravées sur les pages de mon cœur, comme sur du marbre, n'ont-elles pas effacé lentement, de ma raison désabusée, leurs lignes configuratives, comme l'aube naissante efface les ombres de la nuit ! Depuis ce temps, j'ai vu la mort, dans l'intention, visible à l'œil nu, de peupler les tombeaux, ravager les champs de bataille, engraissés par le sang humain et faire pousser des fleurs matinales par-dessus les funèbres ossements. Depuis ce temps, j'ai assisté aux révolutions de notre globe ; les tremblements de terre, les volcans, avec leur lave embrasée, le simoun du désert et les naufrages de la tempête ont eu ma présence pour spectateur impassible. Depuis ce temps, j'ai vu plusieurs générations humaines élever, le matin, ses ailes et ses yeux, vers l'espace, avec la joie inexpériente de la chrysalide qui salue sa dernière métamorphose, et mourir, le soir, avant le coucher du soleil, la tête courbée, comme des fleurs fanées que balance le sifflement plaintif du vent. Mais, vous, vous restez toujours les mêmes. Aucun changement, aucun air empesté n'effleure les rocs escarpés et les vallées immenses de votre identité. Vos pyramides modestes dureront davantage que les pyramides d'Égypte, fourmilières élevées par la stupidité et l'esclavage. La fin des siècles verra encore debout sur les ruines des temps, vos chiffres cabalistiques, vos équations laconiques et vos lignes sculpturales siéger à la droite vengeresse du Tout-Puissant, tandis que les étoiles s'enfonceront, avec désespoir, comme des trombes, dans l'éternité d'une nuit horrible et universelle, et que l'humanité, grimaçante, songera à faire ses comptes avec le jugement dernier. Merci, pour les services innombrables que vous m'avez rendus. Merci, pour les qualités étrangères dont vous avez enrichi mon intelligence. Sans vous, dans ma lutte contre l'homme, j'aurais peut-être été vaincu. Sans vous, il m'aurait fait rouler dans le sable et embrasser la poussière de ses pieds. Sans vous, avec une griffe perfide, il aurait labouré ma chair et mes os. Mais, je me suis tenu sur mes gardes, comme un athlète expérimenté. Vous me donnâtes la froideur qui surgit de vos conceptions sublimes, exemptes de passion. Je m'en servis pour rejeter avec dédain les jouissances éphémères de mon court voyage et pour renvoyer de ma porte les offres sympathiques, mais trompeuses, de mes semblables. Vous me donnâtes la prudence opiniâtre qu'on déchiffre à chaque pas dans vos méthodes admirables de l'analyse, de la synthèse et de la déduction. Je m'en servis pour dérouter les ruses pernicieuses de mon ennemi mortel, pour l'attaquer, à mon tour, avec adresse, et plonger, dans les viscères de l'homme, un poignard aigu qui restera à jamais enfoncé dans son corps ; car, c'est une blessure dont il ne se relèvera pas. Vous me donnâtes la logique, qui est comme l'âme elle-même de vos enseignements, pleins de sagesse ; avec ses syllogismes, dont le labyrinthe compliqué n'en est que plus compréhensible, mon intelligence sentit s'accroître du double ses forces audacieuses. À l'aide de cet auxiliaire terrible, je découvris, dans l'humanité, en nageant vers les basfonds, en face de l'écueil de la haine, la méchanceté noire et hideuse, qui croupissait au milieu de miasmes délétères, en s'admirant le nombril. Le premier, je découvris, dans les ténèbres de ses entrailles, ce vice néfaste, le mal, supérieur en lui au bien. Avec cette arme empoisonnée que vous me prêtâtes, je fis descendre, de son piédestal, construit par la lâcheté de l'homme, le Créateur lui-même ! Il grinça des dents et subit cette injure ignominieuse ; car, il avait pour adversaire quelqu'un de plus fort que lui. Mais, je le laisserai de côté, comme un paquet de ficelles, afin d'abaisser mon vol... Le penseur Descartes faisait, une fois, cette réflexion que rien de solide n'avait été bâti sur vous. C'était une manière ingénieuse de faire comprendre que le premier venu ne pouvait pas sur le coup découvrir votre valeur inestimable. En effet, quoi de plus solide que les trois qualités principales déjà nommées qui s'élèvent, entrelacées comme une couronne unique, sur le sommet auguste de votre architecture colossale ? Monument qui grandit sans cesse de découvertes quotidiennes, dans vos mines de diamant, et d'explorations scientifiques, dans vos superbes domaines. Ô mathématiques saintes, puissiez-vous, par votre commerce perpétuel, consoler le reste de mes jours de la méchanceté de l'homme et de l'injustice du Grand-Tout ! »

En plein romantisme, le portant à son incandescence, avant de le retourner comme un gant poisseux, ce jeune homme qui, faut-il le rappeler, est mort à vingt-quatre ans en 1870, pendant le siège de la Commune de Paris, parle des mathématiques de sa première enfance comme d'une onde rafraîchissante plus douce que le miel. (En écho, nous pouvons entendre cette indication du marquis de Sade dans *L'Idée sur les romans*, à savoir que qui n'est pas romancier dès le berceau n'écrira jamais que des fadaises.) Instinctivement, c'est dès l'âge tendre, dit-il, qu'il a aspiré à boire à cette source plus ancienne que le soleil. « Et je continue encore de fouler le parvis sacré de votre temple solennel, moi, le plus fidèle de vos initiés. » Avec l'humour habituel qui l'imprègne, cette proposition est proprement stupéfiante. Les mathématiques sont susceptibles de contrôler le cosmos : on l'a vu, on le verra. Bien entendu, Lautréamont ne pose pas au mathématicien : il explique qu'il a fait l'expérience de la dissipation du vague, de la fumée. C'est « religieusement » qu'il a franchi les degrés qui montent à l'autel, d'où un voile obscur a été chassé de son esprit, comme, dit-il, le vent chasse le damier. Le damier est le nom d'un papillon diurne. Et puisqu'il s'agit d'un parvis sacré, nous devons imaginer quelque chose qui ressemble à un jeu de dames.

Lautréamont nous prévient qu'il a reçu une illumination. Celle-ci, loin de le porter au flou, provoque chez lui une « froideur excessive », une « prudence consommée » et une « logique implacable ». En écho encore, on entend ce qu'un autre grand aventurier de l'esprit humain, James Joyce, donne pour devise à son embarcation sur les flots du langage : « l'exil, le silence, la ruse ». Dans le sérieux fondamental de son ironie éclairée, Lautréamont n'hésite pas à déclarer que son intelligence s'est rapidement développée à l'aide de ce lait, fortifiant entre tous, jusqu'à prendre des proportions immenses. « Arithmétique ! algèbre ! géométrie ! trinité grandiose ! triangle lumineux ! Celui qui ne vous a pas connues (notez le féminin) est un insensé ! Il mériterait l'épreuve des plus grands supplices, car il y a du mépris aveugle dans son insouciance ignorante. » Et toujours en écho, comment ne pas penser au mathématicien de génie qu'était Pascal qui s'étonnait de l'insouciance ignorante des mortels trouvant que leur divertissement ou, si l'on préfère, leur somnambulisme avait quelque chose de surnaturel. Celui qui connaît la trinité grandiose des mathématiques vues par le poète, digne descendant en pensée de Pythaore, Platon et Aristote, « ne veut plus rien des biens de la terre ». Il s'élève, léger, comme « une hélice ascendante, vers la voûte sphérique des cieux ».

Il s'ensuit un éloge du carré et des trésors des théorèmes. Ceux-ci peuvent provoquer une épouvante puisque, sur le papier brûlant, se tracent des signes mystérieux, vivants, d'« une haleine latente ». La logique n'est-elle pas seule à décrire le monde, comme l'a théorisé le condisciple d'Hitler, et son exact contraire, Wittgenstein ? Pour ce dernier, les mathématiques, unique langage humain, peuvent seules construire une logique exempte de tout mensonge. Autrement dit, sans recours à la logique formelle, on parle pour ne rien dire. Douze ans après la mort de Lautréamont, un autre expérimentateur, Frege, dans son essai *Sens et dénotation*, fait part d'une illumination similaire : il faut passer par les mathématiques pour que la syntaxe, « imago mundi », devienne pure de toute possibilité d'erreur. C'est uniquement par le calcul, ajoute-t-il, que l'on peut accéder au sens.

Or, il faut lire Lautréamont en percevant dans sa phrase même une « haleine latente » d'autant que, parlant de son illumination mathématique, il parle bien évidemment comme toujours de ce qu'il est en train d'écrire. Le profane n'y comprendra rien alors qu'il s'agit, dit-il, de « la révélation éclatante d'axiomes et d'hiéroglyphes éternels, qui ont existé avant l'univers et qui se maintiendront après lui ». Pensée téméraire venant d'un poète : nul mathématicien n'oserait aller jusque-là en métaphysique. Ce que fait Lautréamont ? Il se prémunit contre ce qui est arrivé à Pascal, dont, d'ailleurs, il s'amuse plus d'une fois à retourner les propositions dans *Poésies*. L'intention paraît toutefois être la même : rabaisser l'orgueil humain ou plus exactement ce qu'il appelle « le faux orgueil du mensonge ». Il s'agit pour lui de mettre le doigt sur la petitesse de l'humanité et son incomparable désir de folie. L'humain est fou, il s'agit de lui présenter la raison. Une raison illuminée par cette comparaison avec les mathématiques.

Lautréamont force le trait avec un souvenir sous forme de vision. Les mathématiques apparaissent à l'enfant pendant « une nuit de mai, aux rayons de la lune, sur une prairie verdoyante, aux bords d'un ruisseau limpide ». En fait, ce sont trois femmes : « Arithmétique ! Algèbre ! Géométrie ! » Toutes trois « égales en grâce et en pudeur ». Toutes trois pleines de majesté royale. Ironie de Lautréamont : une mère, c'est bien, mais trois c'est mieux. Il se nourrit tour à tour à leur sein de leur lait fortifiant (eh bien, vous voyez, on ne se prive de rien).

Pour sa part, Parménide ne se permet pas de dire qu'il a tété la déesse, mais enfin Lautréamont, lui aussi, écrit le mot « déesse ». Il ajoute que ces déesses sont rivales : aussi passe-t-il de l'une à l'autre, en orchestrant leur rivalité. Depuis le temps où cette illumination nourricière s'est produite, Lautréamont a renoncé à un tas d'illusions, il a même perçu « l'intention, visible à l'œil nu », dit-il, de la mort qui consiste à « peupler les tombeaux, ravager les champs de bataille engraissés par le sang humain et faire pousser des fleurs matinales pardessus les funèbres ossements. Depuis ce temps, j'ai assisté aux révolutions de notre globe ; les tremblements de terre, les volcans, avec leur lave embrasée, le simoun du désert et les naufrages de la tempête ont eu ma présence pour spectateur impassible. Depuis ce temps, j'ai vu plusieurs générations humaines élever, le matin, ses ailes et ses yeux, vers l'espace, avec la joie inexpériente de la chrysalide qui salue sa dernière métamorphose, et mourir, le soir, avant le coucher du soleil, la tête courbée, comme des fleurs fanées que balance le sifflement plaintif du vent. Mais, vous, vous restez toujours les mêmes. Aucun changement, aucun air empesté n'effleure les rocs escarpés et les vallées immenses de votre identité ». Les mathématiques ne vieillissent pas, cette histoire va si loin que les « pyramides modestes », c'est-à-dire les équations, c'est-à-dire plus précisément les phrases que nous sommes en train de lire, ou du moins ce qu'elles signifient dans leur rythme même, « dureront davantage que les pyramides d'Égypte, fourmilières élevées par la stupidité et l'esclavage ».

CQFD.

VIII

Le « Grand Bouddha » se trouve au milieu de ses élèves auxquels il présente une fleur en silence. Nul parmi eux ne saisit le sens de son geste, excepté un seul qui sourit sereinement au Maître. Celui-ci le proclame aussitôt son successeur. Pas un mot n'est prononcé, et pourtant quelque chose a eu lieu. Un échange a illuminé l'intérieur des âmes et des corps, selon un ordre plus élevé que celui du commentaire. (Rimbaud ne nous dit-il pas qu'il notait « l'inexprimable » ?) « C'est que, précise Suzuki, quelle que soit la réalité qu'il s'agisse de saisir, le zen se propose de l'empoigner directement sans aucun outil médiateur comme l'intellection, l'imagination, l'accumulation de mérites, etc. Il éveille instantanément le pouvoir spirituel le plus haut que l'on peut appeler intuition, et par-delà, on atteint l'illumination. »

*
* *

À présent, la parole à Nietzsche :

« Et Zarathoustra courut et courut et ne trouva plus personne et fut seul et se rassembla en lui-même et jouit et se délecta de sa solitude et pensa à de bonnes choses, – des heures durant. Mais aux alentours de l'heure de midi, quand le soleil fut juste au-dessus de sa tête, Zarathoustra parvint auprès d'un vieil arbre tordu et noueux, enlacé par le débordant amour d'une vigne qui le cachait pour ainsi dire à lui-même : de jaunes grappes y étaient suspendues, offertes au voyageur à profusion. Alors il eut envie d'étancher une petite soif et de cueillir une grappe ; mais il avait déjà tendu le bras quand il eut encore plus envie d'autre chose : de s'allonger près de l'arbre, à l'heure du plein midi, et de dormir.

Et c'est ce que fit Zarathoustra ; et dès qu'il fut étendu par terre, dans le calme intime de l'herbe fleurie, il oublia aussi sa petite soif et il s'endormit. Car comme le dit un proverbe de Zarathoustra : De deux choses, l'une est plus nécessaire que l'autre. Seulement ses yeux restaient ouverts : – car ils ne se lassaient pas de voir et de louer le spectacle de l'arbre et de la vigne amoureuse. Et tandis qu'il s'endormait, Zarathoustra parla ainsi en son cœur :

"Silence ! Silence ! Est-ce que le monde ne vient pas de toucher à la perfection ? Qu'est-ce qui m'arrive ?"

Comme un vent gracieux danse sur la mer étale, invisible, léger, léger comme une plume : ainsi – le sommeil danse sur moi.

Il ne force pas mes yeux à se fermer, il laisse mon âme en éveil. Il est léger, en vérité ! léger comme la plume.

Il me persuade, je ne sais comment ? D'une main

caressante, il imprime de douces petites tapes à l'intérieur de moi-même ; il vient à bout de moi. Oui, il force mon âme à s'allonger :

— comme elle m'a l'air longue et fatiguée, mon âme étonnante ! Est-ce déjà le soir d'un septième jour qui vient à elle en plein midi ? A-t-elle cheminé trop longtemps avec délice au milieu des choses bonnes et mûres ?

Elle s'étend de tout son long, elle est longue, – toujours plus longue ! La voici étendue, silencieuse, mon âme étonnante. Elle s'est délectée de trop de bonnes choses, cette tristesse dorée lui pèse, elle fait une grimace.

— Comme un bateau qui entre dans la baie la plus calme du monde : – il s'appuie maintenant sur la terre, las des longs voyages et des mers incertaines. La terre n'est-elle pas plus sûre ?

Comme ce navire s'adosse au rivage et voudrait se lover au creux de ce rivage : – il lui suffit alors qu'une araignée tisse sa toile entre la terre et lui. Il n'est pas besoin d'une amarre plus solide.

Comme ce bateau fatigué dans la plus calme des baies : je me repose moi aussi dans la proximité de la terre, fidèle, confiant, plein d'attente, lié à elle par le plus léger des fils.

Ô bonheur ! Ô bonheur ! Tu veux sans doute chanter, ô mon âme ? Tu es allongée dans l'herbe. Mais voici l'heure secrète et solennelle où aucun berger ne souffle plus dans sa flûte.

Fais attention ! Midi l'ardent dort sur les campagnes. Ne chante pas ! Silence ! Le monde est parfait.

Ne chante pas, oiseau dans l'herbe, ô mon âme ! Ne chuchote même pas ! Regarde un peu – en silence ! le vieux midi dort, il bouge les lèvres : ne vient-il pas de boire une goutte de bonheur –

– une vieille goutte brune de bonheur doré, de vin doré ? Un souffle glisse sur lui, son bonheur rit. Ainsi rit – un dieu. Silence !

"Quel bonheur que si peu de chose suffise au bonheur !" Ainsi ai-je parlé un jour en me croyant malin. Mais c'était un blasphème : je le sais maintenant. De sages fous parlent mieux.

La moindre des choses justement, celle qui fait le moins de bruit, la plus légère, le frôlement d'un lézard, un souffle, un glissement, un clin d'œil – c'est peu de chose qui fait l'essence du plus grand bonheur. Silence !

– Que m'est-il arrivé : Écoute ! Le temps sans doute a fui ? Est-ce que je ne tombe pas ? Est-ce que je ne suis pas tombé – écoute ! dans le puits de l'éternité ?

– Qu'est-ce qui m'arrive ? Silence ! Cela me perce – malheur – au cœur ? Au cœur ! Oh brise-toi, brise-toi, mon cœur, après ce bonheur, après ce coup frappé en toi !

– Comment ? Le monde ne vient-il pas de toucher à la perfection ? Rond, mûr ? Ô ce rond fruit mûr doré – où s'est-il envolé ? Que je lui coure après ! Évanoui...

– et ici Zarathoustra s'étira et sentit qu'il dormait.

Debout, dormeur ! se dit-il à lui-même. Dormeur-de-midi ! Allons, en avant, vieilles jambes ! Il est temps et plus que temps, il vous reste encore un bon bout de chemin –

Et à présent vous avez assez dormi, combien de temps ? Une demi-éternité ! Allons, en avant maintenant, mon vieux cœur ! Après un tel sommeil combien de temps te faudra-t-il – pour te réveiller ?

114

(Mais alors il se rendormit, et son âme parlait contre lui, se défendait, s'allongeait de nouveau) – "Laisse-moi donc ! Silence ! Le monde ne vient-il pas de toucher à la perfection ? Ô la balle d'or toute ronde !"

"Lève toi, dit Zarathoustra, petite voleuse, fainéante ! Comment ? Toujours s'étirer, bâiller, soupirer, chuter dans des puits profonds ?

Qui es-tu donc mon âme ?" (et ici il s'effraya car un rayon de soleil tomba du ciel sur son visage)

"Ô ciel au-dessus de moi, dit-il en soupirant, se redressant pour s'asseoir, tu me regardes ? Tu écoutes mon âme étonnante ?

Quand boiras-tu cette goutte de rosée qui roule sur toutes les choses de la terre, quand boiras-tu cette âme étonnante –

– quand, puits de l'éternité ! clair et frissonnant abîme de midi ! quand boiras-tu mon âme, quand la feras-tu descendre en toi le long de ta gorge ?"

Ainsi parla Zarathoustra, et au pied de l'arbre où il avait sommeillé il se leva comme au sortir d'une ivresse étrange : et voici que le soleil était toujours au zénith au-dessus de sa tête. Mais on pourrait en conclure à bon droit que Zarathoustra n'avait pas dormi longtemps ce jour-là. »

*
* *

Avant d'aborder ce texte, il faut se souvenir que l'heure de midi est le point principal de la vision de Nietzsche. *Ainsi parlait Zarathoustra* se termine par le mot « aurore » qui est aussi le titre d'un livre de Nietzsche. Il y a identification entière entre Nietzsche et celui qui sortant de sa caverne la quitte « ardent et fort comme un soleil qui s'élève derrière les montagnes sombres à l'aurore ».

En écho, comment ne pas entendre la fin d'*Une saison en enfer* ? « Et à l'aurore, armés d'une ardente patience, nous entrerons aux splendides villes. »

Tiens, comme c'est curieux, on retrouve les mots « Ardeur » et « Aurore ».

Hölderlin meurt en 1843. Nietzsche naît en 1844, Lautréamont en 1846, Rimbaud en 1854. Nietzsche sombre l'année où Heidegger naît, en 1889. Heidegger fut donc contemporain de Rimbaud (mort en 1891) et de Nietzsche (mort en 1900). Lui-même est mort à l'époque où la musique disco était à son apogée (1976).

Toujours cette question du nouveau jour.
Toujours cette question de la nouvelle heure.

Ainsi ce personnage qui vit le temps d'une tout autre façon que la vieille horloge, qui s'appelle Zarathoustra chez Nietzsche, mais qui, en réalité, n'a pas besoin d'avoir de nom, dit que son heure est venue. « Ceci est mon aurore, mon jour se lève : à présent, lève-toi, lève-toi dans le ciel, grand midi ! » Le temps se retourne, s'accomplit, se fixe et, bien entendu, il est impossible de ne pas entendre que c'est en fonction du Christ que cette affirmation, comme chez Rimbaud, a lieu : le temps ancien peut continuer à s'écouler, *in saecula saeculorum*. Il est privé de tout but ou de toute fin, donc de tout retour, qui ferait de lui ultérieurement un accomplissement. Le temps nietzschéen, lui, n'est plus que la répétition extatique de lui-même. Ce qui convient bien au terme de l'illumination.

La position de Nietzsche est ici définie par la fin du chapitre intitulé « Voyageur de nuit » et qu'il nous convient maintenant d'écouter :

Homme, prête l'oreille !
Que dit minuit profond ?
« Je dormais, je dormais –,
D'un rêve profond me voici réveillé : –
– Le monde est profond,
Et plus profond que le jour ne l'a cru.
Profonde est sa douleur
Et sa joie – plus profonde encore que ce qui lui
                                        [crève le cœur
La douleur dit : Passe !
Mais toute joie veut l'éternité –,
Veut la profonde, profonde éternité ! »

117

Indubitablement, nous sommes dans un écho biblique : « Écoute Israël... » C'est une révélation qui, comme souvent chez Nietzsche, passe par l'audition. Chose étonnante, on ne se souvient pas qu'au moment où il voulait transmettre à ses proches son expérience épouvantable et merveilleuse de l'éternel retour, Nietzsche la chuchotait à l'oreille comme s'il s'agissait d'un secret.

Je trouve curieux qu'on n'ait jamais fait attention à une autre histoire : celle de la visite du jeune Paul Valéry à Stéphane Mallarmé à Valvins. Après une promenade en barque, Mallarmé emmène son jeune hôte dans son cabinet de travail, ferme les volets et lui lit *Un coup de dés* à voix très basse dans un chuchotement. Je me demande toujours pourquoi ce poème d'une limpidité absolue est considéré comme illisible (surtout lorsqu'il est lu par des acteurs qui le vocifèrent de façon dramatique pour évidemment empêcher qu'on y comprenne quoi que ce soit). Valéry relate l'anecdote sans en saisir la portée, comme sa poésie académique le prouve ; et encore, s'il note ce fait, est-ce pour décrire Mallarmé dans la campagne comme si rien n'était advenu de cette lecture chuchotée, et admirant le « coup de cymbales » de l'automne.

Homme, prête l'oreille, homme de constitution ordinaire, toi qui es tous et aucun, prête l'oreille à ce que dit le minuit profond. Pas de midi, sans minuit. Surtout que, comme le dit Nietzsche par ailleurs, « la nuit est aussi un soleil ». Que dit le minuit profond ? Ceci (c'est lui qui parle) : « Je dormais, je dormais / D'un rêve profond me voici réveillé. » La vie est-elle un songe ? Calderón l'a dit, Shakespeare aussi, et tous nous pouvons en faire l'expérience. « Nous sommes faits de l'étoffe dont sont faits nos rêves. » *Life is a stage.* Une illusion suprême nous rend ce que la ruine de toute illusion détruit. Mais enfin voilà : le minuit s'est réveillé, il dit que le monde est profond, et plus profonde encore est sa douleur. C'est donc au fond de la douleur, cette douleur que méconnaît le sommeil de la fausse raison du jour, cette douleur toujours recouverte, niée, déniée, que midi pourrait surgir sans quoi ce ne sera pas « l'étincelle d'or de la lumière *nature* – ô bonheur, ô raison ».

« Au réveil il était midi », précise Rimbaud.

« Midi le juste », le vers célèbre du *Cimetière marin* de Paul Valéry, et d'ailleurs toute l'entreprise néo-grecque ou méditerranéenne kitsch dont il était le chef de file, constitue sans aucun doute la pire façon de nous fermer les yeux, de nous rendre aveugles à l'essentiel.

Dieu sait si on nous en a rebattu les oreilles.

« Profonde est la douleur du monde. » Le faux jour que nous préférons, pour des motifs de confort, nous dissimule cette douleur. Nous, hommes, nous sommes des explorateurs de la dénégation de la douleur. Or la joie – c'est toujours le minuit profond qui parle –, la joie du monde est plus profonde encore que ce qui lui crève le cœur. Et là est l'expérience de la métamorphose du temps, car la douleur dit, passe ! passe ! parce que tu n'es qu'un passant, de quel droit ne passerais-tu pas, ne serais-tu pas inscrit au passif – au sens de la dette –, ne serais-tu pas du passé ? Or, comme le dira à juste titre Heidegger, passer n'est pas la même chose qu'avoir été. Jouons un instant avec les mots, comme nous le permet le français : plutôt que « on ne peut pas être et avoir été », préférons, pour peu que nous possédions la vérité dans une âme et un corps, « Je suis été », ce qui nous rapproche du grand midi.

La douleur dit « passe ! » ; le passant obtempère. Et Rimbaud ? Un passant ? « Le passant considérable », précise Mallarmé. Mallarmé lui-même, pourtant le meilleur astronome de son temps, ne perçoit le phénomène Rimbaud que par le petit bout de la lorgnette : comme celui d'une étoile filante, d'une comète.

Je suis été ! Présent, passé, futur – le dernier terme est en fait le premier.

Heidegger : « L'être commence à chaque instant ». « Au-delà du grand-père, le temps cesse, tout le temps est sans défense ».

La douleur sous-estimée, qui nous renvoie à l'épreuve christique, et la spéculation sur la douleur sont toujours soupçonnables de falsification. Toutefois, toute joie, dès qu'elle est plus profonde que ce qui lui crève le cœur, cette joie-là veut l'éternité – « la profonde, profonde éternité ».

De joie, *dit Rimbaud,* je prenais une expression bouffonne et égarée au possible. »

IX

Le 1ᵉʳ juin 1310 meurt sur le bûcher, en place de
Grève, une femme au nom évocateur : Marguerite
Porète. Qui était cette coupable, dont le nom de
famille, une fois gommé le *r*, suggère un rapport intime
avec la poésie ? Une sainte ? Une sorcière ? On a
souvent brûlé les unes au nom des autres, et en les
confondant. En fait, Marguerite Porète est une béguine.
Elle appartient à ce mouvement composé de femmes
en quête de l'Amour divin, qui réfutent l'idée de toute
autorité religieuse ou maritale. Ce dont elle s'est rendue
coupable ? De n'avoir pas renié son livre, *Le Miroir des
âmes simples*, le plus ancien texte mystique écrit en
français qui nous soit parvenu. Que dit ce livre de si
terrible, pour que Marguerite Porète subisse un tel
supplice ? L'amour, on s'en serait douté. Elle a réalisé
« l'union suprême avec le Divin » ; elle témoigne pour
ceux qui n'ont pas encore communié à cet « Amour
à la fois proche et insaisissable ». « Amour est Dieu
et Dieu est Amour. C'est en Amour que je suis
transformée », écrit-elle en évoquant la phase ultime de

l'ascension spirituelle de son âme « enivrée ». Aussi nous invite-t-elle à contempler notre âme à travers le « Miroir de l'Amour » pour l'épurer de tout ce qui fait obstacle au déploiement de Dieu en nous, pour connaître l'état de plénitude et de liberté absolues, bref « la vie parfaite et l'état de paix auxquels la créature peut accéder ». À ce point d'élévation, dit-elle, l'âme est « si brûlante en la fournaise du feu d'Amour, qu'elle est devenue feu, à proprement parler, si bien qu'elle ne sent pas le feu, puisqu'elle est feu en elle-même par la force d'Amour qui l'a transformée en feu d'Amour ». Jugé dangereux par l'évêque de Cambrai, lointain prédécesseur à cette charge de Fénelon, le père du quiétisme, le livre est jeté aux flammes sur la place de Valenciennes, dont Marguerite Porète était sans doute originaire. On ne sait rien d'autre de cette femme d'une ardeur féerique, dont on devine seulement le visage auréolé de sainteté : nous sommes seulement renseignés sur sa résistance aux autorités, sur sa réclusion en 1309 après un premier procès, son jugement et enfin sa mort. Mais nous savons que *Le Miroir des âmes* a été lu par Maître Eckhart.

Le gendre du Prophète, Sidna Alî, a écrit un *hadîth qodsî*, où Dieu parle à la première personne du singulier :

> *Celui qui me cherche me trouve.*
> *Celui qui me trouve me connaît.*

Celui qui me connaît m'aime.
Celui qui m'aime, je l'aime.
Celui que j'aime, je le tue.
Celui que je tue, c'est à moi de le racheter.
Celui que je dois racheter, c'est moi qui suis sa rançon.

**

Dans ses entretiens avec François Truffaut, Alfred Hitchcock explique que tous ses films décrivent « un innocent dans un monde coupable ». Cette veine cinématographique rappelle, par sa variation, les thèmes de bien des romans et nouvelles de Kafka. Ce dernier déclarait : « Écrire, c'est faire un bond hors du rang des meurtriers. » Légère entre toutes, la question de l'innocence renvoie à celle du démoniaque qui n'a cessé de s'aggraver au cours du XXᵉ siècle. Une fois encore, le recours nous est livré par Rimbaud :

« Tu en es encore à la tentation d'Antoine, l'ébat du zèle écourté, les tics d'orgueil puéril, l'affaissement et l'effroi.

Mais tu te mettras à ce travail : toutes les possibilités harmoniques et architecturales s'émouvront autour de ton siège. Des êtres parfaits, imprévus, s'offriront à tes expériences. Dans tes environs affluera rêveusement la curiosité d'anciennes foules et de luxes oisifs. Ta mémoire et tes sens ne seront que la nourriture de ton impulsion créatrice. Quant au monde, quand tu sortiras, que sera-t-il devenu ? En tout cas, rien des apparences actuelles. »

* *

Celui qui accomplit toutes ses actions
Pour Moi
Qui me prend comme but de sa vie,
Qui est un dévot libre
De tout attachement
Sans hostilité pour aucune créature
Celui-là vient à Moi.

(Bhagavad-Gita, XI, 55)

Celui qui s'abreuvera à ma bouche deviendra comme
moi, et moi aussi je deviendrai lui, et les choses cachées se
révéleront à lui.

(Évangile selon Thomas, log. 108)

Je ne suis pas hors de Dieu
Dieu n'est pas hors de moi ;
Je suis son éclat et sa lumière,
Il étincelle d'être ma parure.

(Angelus Silesius, *Le Pèlerin chérubinique*)

* *

Marguerite Porète est brûlée. Maître Eckhart, l'un des plus grands mystiques du Moyen Âge, est frappé d'anathème. Pour ignorance ? Pas du tout. Né vers 1260 à Hochheim près de Gotha, en Thuringe, Eckhart entre, en 1275, comme novice au couvent dominicain d'Erfurt. Après des études brillantes consacrées à l'étude des constitutions de l'Ordre (deux ans), puis à la philosophie (cinq ans), enfin à la théologie (trois ans), Eckhart approfondit à Cologne, au *Studium Generale* fondé par Albert le Grand en 1248 et réservé à l'élite de son ordre, sa science des Écritures et de la théologie. Vers 1293 il rejoint Paris, alors capitale de la théologie mondiale. Et pendant les années qui suivent, il ne cesse d'étudier, et de monter, d'une université à un titre, l'échelle de la connaissance théologique et de la hiérarchie. Il commente la Bible, et enseigne. Mais dès 1325, des doutes sont émis quant à son orthodoxie et sa façon de prêcher. En 1326, deux dominicains de Cologne, Hermann de Summo (à Cologne) et Guillaume de Nidecke (en Alsace) l'accusent devant l'Inquisition. Le 24 janvier 1327, Eckhart est interrogé par le chapitre de la cathédrale de Cologne. Il s'indigne, en appelle au pape Jean XXII et souligne le caractère non fondé de son procès.

Une folie ? Un scandale ?

Une première, en tout cas, dirigée contre un dominicain, maître en théologie de l'université de Paris. Mais pourquoi s'en étonner ? Ses propos attirent les foules, et à la même époque débutent des actions contre les Franciscains dits « spitituels », adeptes de la pauvreté du Christ et des apôtres.

Condamné, Maître Eckhart s'est plié avec une désinvolture toute chinoise à l'autorité papale et, depuis cet épisode judiciaire, on n'a plus eu la moindre indication sur ses faits et gestes : Maître Eckhart disparaît tout simplement. Comme Lao-tseu, remarque Paul Petit, son traducteur, dans la note à son admirable version des *Sermons et Traités*, datée de 1942 à Fresnes. C'est d'ailleurs là que Paul Petit est fusillé par les nazis – preuve dramatique du conflit violent entre la plus haute dimension de l'allemand et sa chute dans la vocifération bestiale.

Le 27 mars 1329, quatre ans après avoir canonisé Thomas d'Aquin, Jean XXII condamne comme hérétiques dix-sept propositions extraites des œuvres de Maître Eckhart et en réfute onze autres, les jugeant « parfaitement malsonnantes, très téméraires et suspectes d'hérésie ». Eckhart était déjà mort à cette date, sans qu'on connaisse, trait ultime, le lieu de sa sépulture.

La messe est dite, dans les siècles des siècles.

Mais qu'est-ce qui pouvait être interprété comme hérétique chez Maître Eckhart ? Quelle illumination ? Certainement – il s'agit là d'une percée dans l'histoire de la métaphysique occidentale –, sa révélation du néant. Pour Maître Eckhart, la mort n'est rien d'autre que l'abandon de tout poids : « Il faut que tout soit perdu. Il faut que l'existence de l'âme soit établie sur un libre rien. » Une doctrine illuminante du libre rien ? À l'évidence, elle ne pouvait que déchaîner l'hostilité ; les tenants du « servile quelque chose » veillent à son règne et se reproduisent indéfiniment dans le temps.

Maître Eckhart prêchait pour prêcher, parlait pour parler. Car « parler pour parler, telle est la formule de la délivrance », comme le dit Novalis. Il avait certes des auditeurs et des auditrices, dans les couvents de son temps, mais enfin, comme il l'a dit lui-même, il aurait pu tout aussi bien s'adresser à l'arbre qui se trouvait là.

Le genre d'inspiration que nous abordons n'interdit pas de parler aux oiseaux ou aux poissons ; François d'Assise, le franciscain majeur, l'a prouvé qui faisait rebondir son discours sur les animaux – merveilleuse façon de pointer la surdité humaine. Les pires sourds sont bien entendu ceux qui ne veulent pas entendre. Un récitatif en boucle des sermons de Maître Eckhart ne les toucherait pas : ils mettraient assurément toute leur volonté à ne pas les comprendre. Quoi qu'il en soit, à l'époque où Dieu était encore vivant, ce qu'à Dieu ne plaise, il y avait déjà beaucoup à dire sur la façon dont on pouvait s'en passer.

« Nous prions Dieu d'être libérés de Dieu. »

Selon Maître Eckhart, « il est plus nécessaire de perdre Dieu que de perdre la créature ».

Perdre la créature est important, afin de se détacher du terrestre en tant que passage. Toutefois, si l'homme est détaché de la création, mais attaché au Dieu de la création, il se tiendra toujours dans l'errance, autant dire, selon une fausse étymologie, dans l'erreur. Il ne pourra jamais atteindre l'Innommable (titre d'un roman

129

du très eckhartien Samuel Beckett) : « Le plus grand honneur que l'âme puisse faire à Dieu, c'est de l'abandonner à elle-même et de s'affranchir de lui. »

Quel temps gagné ou plutôt quelle économie de temps perdu si l'on avait suivi Eckhart dans ses avancées fondamentales !

« C'est d'ailleurs l'unique dessein de Dieu que l'âme perde son Dieu, car aussi longtemps qu'elle a un Dieu, qu'elle connaît Dieu, qu'elle sait quelque chose de Dieu, elle est séparée de Dieu. Ceci est le seul but de Dieu : s'anéantir dans l'âme afin que l'âme aussi se perde. (...) C'est le plus grand honneur que l'âme puisse faire à Dieu qu'elle l'abandonne à Lui-même et se tienne enfin vide de Lui... »

Inutile d'insister, ces propos sont inacceptables, intolérables, *provocateurs*.

Inacceptable aussi cette prière d'Eckhart :

« Je prie Dieu qu'il me rende quitte de Dieu. Car *l'être qui n'est pas* est au-delà de Dieu, au delà de toute différence : là, j'étais seulement moi-même, là je me voulais moi-même et me regardais moi-même comme celui qui a fait *cet homme* ! Ainsi suis-je donc la cause de moi-même, selon mon être éternel *et* selon mon être temporel. Ce n'est que pour cela que je suis né. Selon mon mode de naissance éternel, je ne peux jamais non plus mourir : en vertu de mon mode de naissance éventuelle, j'ai été de toute éternité et je suis et demeurerai éternellement ! Ce n'est que ce que je suis en tant qu'être temporel qui mourra et deviendra néant, car cela appartient au jour, c'est pourquoi cela doit, comme le temps, disparaître. Dans ma naissance, toutes choses sont co-nées : j'étais en même temps ma *propre* cause et cause de *toutes choses*. Et le voulus-je : ni moi ni toutes choses ne *seraient*. Mais si je n'étais pas, Dieu ne serait pas non plus. Que l'on comprenne : ceci n'est pas nécessaire. »

Le sermon de Maître Eckhart, *De la pauvreté en esprit*, commente ce passage tiré de l'Évangile selon saint Matthieu :

« Bienheureux les pauvres d'esprit, parce que le royaume des cieux est à eux. »

Révolutionnaire s'il en fut, Maître Eckhart vise la pauvreté en esprit, aussi loin de la bêtise que Dieu du Diable, comme « sublimité essentielle ». Je ne conseillerai à personne de déclamer ces textes dans un conseil d'administration, une salle de rédaction de journal, une réunion de publicitaires ou pendant la diffusion d'une émission télévisée. À Wall Street, ou à Francfort, dans n'importe quelle place boursière, ces propos produiraient un effet désastreux, et la commande immédiate d'une camisole de force. Il en irait de même à Saint-Pierre de Rome ou à Notre-Dame de Paris.

A la première pauvreté – la pauvreté en esprit – succède la privation de tout savoir. Si l'« orant » sait qu'il prie, il se place en dehors de la prière. On pourrait même dire qu'il n'est pas important de savoir ce qu'est la prière, ni l'unité. L'essentiel est d'en avoir l'expérience sans en retenir l'expérience en tant que telle. L'homme intériorisé ne jette aucun regard sur lui-même ; se réjouir de ses progrès ou s'attrister de ses défaites n'a aucun sens. Sur quoi repose donc « la béatitude des pauvres en esprit » ? L'amour ? La connaissance ? Celles-ci doivent être dépassées, mises en sommeil dans un état qui s'apparente à une « demi-mort ». La pauvreté en esprit dépasse ces puissances, elle repose dans le « Fond secret » qui ne « connaît pas et n'aime pas ». Ainsi l'homme n'a pas à savoir que Dieu le meut ; il n'a pas à connaître les opérations divines : l'homme pauvre ne veut rien, ne sait rien ; il ne se remémore pas le contenu de sa connaissance ; il n'a pas à éprouver la ferveur de son amour, il lui faut encore ne rien avoir.

Ne rien avoir correspond d'ailleurs au troisième degré de la pauvreté. Celui-ci dépasse l'abandon des biens matériels. Vivre dans le dénuement n'est pas encore être pauvre ; l'homme doit se dépouiller des œuvres extérieures ou intérieures, afin de devenir le site où Dieu prend séjour. « Il n'y a vraiment pauvreté en esprit que lorsque l'âme est à ce point dépouillée de Dieu et de toutes ses œuvres que Dieu, s'il voulait opérer dans l'âme, devrait être Lui-même le Lieu de son opération... Car Dieu opère en lui-même le Lieu de son opération. »

Le grand paradoxe de Maître Eckhart tient à ce qu'il reste l'un des rares Occidentaux à avoir cru en Dieu, vraiment, ce qui l'a amené jusqu'à nous dans un profond silence. Exemple : « Le Père ne cesse de s'efforcer et de faire tout ce qu'il peut pour que nous naissions dans le Fils et devenions la même chose que le Fils. Le Père engendre son Fils et puise en cela une si grande paix et une si grande joie qu'il y consomme toute sa nature. Tout ce qui est en lui de quelque manière, cela le pousse à cette naissance : il y est poussé par le fond de sa nature. Et par toute son essence, dans toute la divinité de Dieu, il ne reste rien qui ne le pousse à engendrer... Pour cela, il faut que nous nous tenions comme Dieu, pur et vide de toutes images, et de toutes formes, comme Dieu en est libre Lui-même. »

Vous voyez qu'il est question d'atteindre la plus grande liberté possible. Illumination redoutable pour toute force qui voudrait vous encombrer d'images ou plus exactement qui vous ferait prendre des images pour la réalité.

Maître Eckhart suit de près le processus trinitaire, par lequel l'engendrement du Fils par le Père nous amène à connaître le Père par le Fils et en eux deux le Saint-Esprit, c'est-à-dire ce qu'il appelle « le merveilleux jeu de miroir de la sainte Trinité » ; « et en Lui, toutes choses, telles qu'elles sont, un Pur Néant en Dieu ». Il prend soin de dire qu'une lumière peut parfois se révéler dans un homme de telle façon qu'il s'imagine être le Fils, mais ce n'est pourtant, dit-il, rien qu'une idée, car

« là où le Fils se manifeste dans une âme, se manifeste aussi le Saint-Esprit qui est aussi l'amour. Le Fils ne naît pas en nous avant que l'amour du Saint-Esprit nous soit donné, les deux choses arrivent au même point du temps ».

Comme le dit Maître Eckhart commentant *Le Livre de la sagesse* :

« Ainsi nous ne sommes pas plus tôt nés que nous avons cessé d'être. Nous n'avons pu montrer en nous aucune trace de vertu, et nous avons été consumés par notre malice. Voilà ce que les pécheurs diront dans l'enfer,
En effet, l'espérance des méchants est comme ces petites pailles que le vent emporte, ou comme l'écume légère qui est dispersée par la tempête, ou comme la fumée que le vent dissipe, ou comme le souvenir d'un hôte qui passe et qui n'est qu'un jour dans le même lieu.
Mais les justes vivront éternellement, le Seigneur leur réserve leur récompense, et le Très-Haut a soin d'eux. »

* *

Maître Eckhart préfigure les distiques baroques du *Pèlerin chérubinique*, écrit par Johannes Scheffler, dit Angelus Silesius (1624-1677). Preuve que tous les trois siècles quelqu'un se lève pour laisser parler la parole, et le silence qui l'habite. Ordonné prêtre en 1661, Angelus Silesius marche la même année à la tête du cortège d'une procession catholique, portant la couronne d'épines, la bannière et la croix. « La plupart des gens, dit-il, me traiteront de fou ou m'accuseront d'ambition comme si je cherchais par ce moyen un honneur vain. »

Ce que dit Angelus Silesius (traduction Roger Munier) ?

Où se tient mon séjour ? Où toi et moi ne sommes.
Où est ma fin ultime à quoi je dois atteindre ?
Où l'on n'en trouve point. Où dois-je tendre alors ?
Jusque dans un désert, au-delà de Dieu même.

Ou encore :

Ce qu'on a dit de Dieu ne me suffit pas encore :
La Surdéité est ma vie, ma lumière.

Ou encore :

Dieu m'aime plus que soi ; que plus que moi je L'aime,
Et je lui donne autant qu'Il me donne de soi

Ou encore :

Dieu est un Rien pur, nul maintenant, nul ici ne Le touche ;
Plus tu cherches à Le saisir et plus Il t'échappe ;

Ou encore :

Si tu aimes quelque chose, tu n'aimes rien ;
Dieu n'est ni ceci ni cela, laisse le quelque chose.

Ou encore :

Christ serait-il né mille fois à Bethléem,
S'il n'est pas né en toi, c'est ta perte à jamais.

Ou encore :

Qui est comme s'il n'était et n'eût jamais été,
Ô seul délice, est purement devenu Dieu.

Ou encore :

Dieu tient autant à moi que Lui m'est nécessaire,
Je L'aide à soutenir son être et Lui le mien.

Ou encore :

Plus tu sauras te vider de toi, te répandre,
Plus Dieu t'inondera de sa Divinité.

X

La scène se situe à Iéna. Elle a lieu à la fin du
XIXᵉ siècle. Comme tous les jours, les clients d'un
restaurant avalent leurs plats préférés. Un pianiste, retiré
au fond de la salle, joue quelques morceaux que certains
jugent « bizarres ». Ce musicien, un gagne-misère,
commence par quelques pièces aériennes de Chopin,
puis réoriente sa vision : Beethoven, Schumann,
Wagner, voire Brahms, qu'il a suivi à Bâle, puis rien
de connu, ni de déjà entendu : pianiste amateur, il
improvise selon son humeur vagabonde. Il a obtenu le
droit de pouvoir jouer deux heures par jour. On
murmure qu'il est « fou ». Ne s'est-il pas effondré à
Turin, en 1889, pour avoir défendu un cheval contre
son cocher ? Il s'appelle Nietzsche. Il est haï des dévots,
méprisé des philosophes, suspect aux savants comme
aux politiques. Jeune, dès ses années de lycée, le cœur
plein de foi, il avait rêvé de composer un Requiem à
l'imitation de celui de Mozart.

*
**

« La limite n'est point en Dieu et dans l'esprit, mais elle est posée par l'esprit pour qu'elle soit supprimée. Par son idéalité, l'esprit est élevé au-dessus du fini et sait que la limite n'est nullement infranchissable pour lui. (...) Et cette délivrance n'est pas, comme se la représente l'entendement, une délivrance qui ne s'accomplit jamais, une délivrance vers laquelle on ne fait que tendre indéfiniment ; mais l'esprit s'affranchit de ce progrès indéfini, se libère absolument de la limite, de son autre, et parvient par là à son être pour soi absolu, et se fait véritablement infini. »

Une illumination signée Hegel.

*
**

1806. Après la bataille d'Iéna, ce même Hegel écrit : « J'ai vu l'Empereur, cette âme du monde, traverser à cheval les rues de la ville. C'est un sentiment prodigieux, de voir un tel individu qui, concentré sur un point, assis sur un cheval, s'étend sur le monde et le domine. » Cent trente ans plus tard, en 1936, en un saisissant raccourci, Heidegger apporte sa vision de la domination napoléonienne : « Devait se révéler au grand jour la non-vérité profonde de ce mot que Napoléon avait prononcé à Erfurt devant Goethe : "Le destin, c'est la politique." Non, c'est l'esprit qui est le destin, et le destin est esprit. Or, l'essence de l'esprit, c'est la liberté. »

*
**

J'ai une prédilection pour les livres essentiels – ceux, malheureusement, qu'on trouve difficilement dans le commerce. Ainsi celui de Martin Heidegger sur Schelling. Le sous-titre : *Le traité de 1809 sur la liberté humaine.* Le séminaire de Heidegger dont il est question dans ses pages date de l'été 1936, la première édition française de 1977 et le livre que j'ai entre les mains de 1993. Nous sommes en 2003. Ces repères permettent de réfléchir à la notion de lenteur. De même, il aura fallu deux siècles pour qu'on appose, à Bordeaux, une plaque sur la façade de l'immeuble où Hölderlin a séjourné les premiers mois de l'année 1802.

Voilà qui nous plonge dans la vraie nature du temps.

La méditation sur Schelling que Heidegger dispensait en 1936 a été en quelque sorte soigneusement cachée. Pourquoi ? Parce qu'elle traite principalement de la question du Mal et du démoniaque.

Ce n'est pas un hasard si Heidegger est amené, dans ses explications introductives, à citer une fois de plus Nietzsche et Hölderlin. De Nietzsche, par exemple, ceci qui date de 1883, et qu'il a rajouté pour un ami en dédicace de son livre *Aurore* (1881) :

Qui doit un jour annoncer beaucoup
Tait beaucoup à l'intérieur de soi
Qui doit un jour allumer l'éclair
Il lui faut longtemps – être nuage.

Nous avons d'autre part à lire ce passage de Schelling lui-même : « Celui qui veut s'établir au point de départ d'une philosophie vraiment libre doit abandonner Dieu lui-même. C'est ici qu'il convient de dire : qui veut le conserver le perdra, et qui renonce le trouvera. Celui-là seul est parvenu au fond de soi-même et a reconnu toute la profondeur de la vie, qui un jour a tout abandonné et a été abandonné de tout, pour qui tout a sombré et qui s'est vu seul avec l'infini : c'est un grand pas que Platon a comparé à la mort. »

Nous pourrions parler très longuement de l'insurrection du Mal contre l'Être, et du démoniaque qui s'ensuit. Disons simplement que, si « Dieu est mort », il est étrange que personne ne veuille se rendre compte, dans sa décomposition accélérée, de ce qui est encore plus étrange : la mort concomitante du personnage qui lui est associé, le Diable.

Il serait peut-être temps de s'apercevoir que le Diable est mort, ce qui ne veut pas dire qu'il ne soit pas lui aussi, comme tout devrait nous le prouver si nous restions éveillés, en cours de décomposition violente. On l'observe quotidiennement sur la planète, la marchandise se charge de nous le répéter sans cesse. La perversion qui dans son fonds n'est autre que spirituelle suit son cours, dans l'accomplissement du nihilisme généralisé. Dieu est mort, le Diable aussi ? L'hypothèse laisse ouverte la question de l'expérience du dieu. Mais lequel ? Nous y sommes, enfin.

J'ouvre Hölderlin. J'ai dans ma poche les textes de Heidegger à son sujet. Je rappelle que *Approche de Hölderlin* veut dire à la fois que nous tenterions de nous approcher de lui, mais, peut-être et surtout après deux siècles, que c'est lui, dans la dévastation et le bruit universels, qui s'approcherait de nous. J'ouvre donc Hölderlin. Je lis, je relis et je suis envahi d'une stupeur immense. Je relis encore une fois, me voilà de plus en plus étonné. Je relis une nouvelle fois, j'essaie autant que possible de ne pas m'interposer entre ma lecture et moi, et soudain le monde, qui me paraissait voué à une fermeture définitive, se déploie.

Je sens tout de suite que je n'en aurai jamais fini, pas plus qu'avec les *Illuminations* de Rimbaud. Je vais donc m'isoler et lire et encore relire, non pas des textes à proprement parler, bien qu'il s'agisse aussi de cela, mais un effet de respiration, de rythme et d'air qui, ici même, dans une mégalopole informatisée et très encombrée, au milieu de cinquante écrans de télévision surchargés, au milieu de mille ordinateurs ne cessant de crépiter, va me dire qu'après tout j'existe.

À votre tour, lisez de toutes vos forces cette élégie qui s'appelle *Stuttgart* (traduction Philippe Jaccottet) :

> « *Autre bonheur : la dangereuse aridité guérit,*
> *Et le tranchant du jour ne brûle plus les fleurs.*
> *De nouveau une salle s'ouvre, et le jardin est sauf,*
> *Après la fraîche pluie le val brille en rumeur*
> *Sous ses hauts arbres, croissent les torrents, et toutes ailes*
> *Nouées redécouvrent le royaume du chant.* »

La poésie, a dit une fois pour toutes Hölderlin, est l'occupation la plus innocente de toutes. Mais n'est pas innocent qui veut ; ce qui explique qu'il y ait tant de mauvaise poésie. Voilà un art suprêmement dangereux car, pour l'accomplir, non seulement il ne faut pas sombrer, mais encore faut-il faire l'épreuve de la malveillance elle-même en son fonds.

Un dieu innocent est peu vraisemblable ; lorsqu'il se présente, il est mis à mort. D'ailleurs, plutôt que de réfléchir à la mise à mort du Christ non pas telle qu'il l'a voulue et acceptée, dans une vision purement eschatologique, mais telle que les hommes l'ont souhaitée et plébiscitée, asphyxiés par son aveuglante innocence – et avant lui Socrate –, nous préférons organiser tous les ans, au lieu de sa naissance, le triomphe de la marchandise et des cadeaux, dont la fabrication justement mutile l'enfance de milliers d'ouvriers esclaves, en Chine ou dans les pays du tiers-monde.

Quant à la Nature, dont tout le monde se fout, y compris les Verts, elle attend en vain que quelqu'un, quelqu'un d'enfin innocent, la constate.

Le poème continue ainsi :

« L'air maintenant s'emplit d'heureux, la ville et les
                                                    [bosquets
Autour accueillent les joyeux enfants du ciel.
Ils aiment se trouver et puis se perdre, insoucieux,
Mais chacun au nombre total est nécessaire.

C'est que le cœur l'ordonne ainsi, et la beauté
                                              [qu'ils boivent
Convenable, c'est un dieu qui la leur dispense.
Mais eux aussi, les voyageurs, sont bien guidés, ils ont
Des couronnes en suffisance, le chant, le bourdon
Tout orné de corymbes et de feuillages, avec les ombres
Des pins : de bourg en bourg c'est fête, d'heure en heure,
Et tels des chars qu'entraîneraient des fauves, les
                                              [montagnes
Procèdent, et le chemin même tarde et se hâte. »

Ce poème comporte six pièces, celle-ci est la première. Il nous faudrait beaucoup de temps pour l'étudier. Mais nous avons déjà la courbe. Quant aux vers qui vont suivre, tirés de l'élégie *Le Pain et le Vin* écrite en 1800, Heidegger a demandé à son fils de les lire devant son cercueil, ce qu'il fit, en mai 1976. Sa voix s'est élevée dans l'orage des procès et des polémiques qui ont entouré la mort du grand penseur, pour apporter la plus cristalline des réponses aux calomnies, en disant ceci :

« *Ô Grèce bienheureuse ! Ô toi, demeure à tous*
                                              [les dieux donnée,
Quoi ! c'est donc vrai, ce qu'en notre jeunesse un
                                              [jour nous entendîmes ?
Ô salle des festins ! Ton sol ? Mais c'est la mer ! Tes
tables ? Les montagnes
Jadis à cette seule fin bâties, en vérité.
Mais les trônes, où sont-ils donc ? Les temples ? Où,
                                              [les urnes

De nectar, et le chant qui doit réjouir le cœur
                                        [des dieux ?
Où brillent-ils donc, les oracles frappant au
                                [loin comme l'éclair ?
Delphes dort, et la voix du grand Destin, où
                                    [sonne-t-elle ?
Où le dieu prompt ? Lourd d'un universel bonheur,
                            [où de quels cieux en fête
Jailli, frappe-t-il les regards de sa splendeur tonnante ?
Éther, ô Père ! Ainsi montait le cri par mille et
                                        [mille lèvres
Multiplié ; nul n'était seul à supporter la vie. Car
                                        [un tel bien,
C'est par l'échange et le partage avec les inconnus
                                    [qu'il donne joie.
Une allégresse éclate ; il s'accroît en dormant, le
                                        [pur pouvoir
Du mot Père *! et voici le legs de nos parents, le très*
                                            [antique
Signe qui retentit au loin, frappe et féconde !
Car c'est ainsi que les Divins prennent demeure et
                                        [qu'ébranlant
Les profondeurs, trouant l'ombre, leur Jour descend
                                    [parmi les hommes. »

Le Jour des divins, n'est-ce pas par ailleurs le Jour de *Génie* dont parle Rimbaud ? « L'abolition de toutes souffrances sonores et mouvantes dans la musique plus intense. » N'est-ce pas ce même « Jour » qui conclut *Génie* ? : « Sachons, cette nuit d'hiver, de cap en cap, du pôle tumultueux au château, de la foule à la plage, de regards en regards, forces et sentiments las, le héler et le voir et le renvoyer, et sous les marées et au haut des déserts de neige, suivre ses vues, ses souffles, son corps, son jour. »

Le poète est un prophète en musique. Un prophète du beau et de la vérité. Plus il est grand, plus il est allé loin dans la vérité du langage, et plus il aura lutté pour le langage de la vérité. La poésie est écrite, mais, pour en percevoir l'illumination, il faut la rendre à son souffle, à son rythme, à sa vision et à ce que Heidegger a raison d'appeler, par-delà sa propre mort, son « ton fondamental ». C'est à ce point, dans cette mobilité originelle, cette maturation du temps premier comme événement fondateur du « ton fondamental » qu'il faut se tenir. L'enfer aujourd'hui, je le définis comme l'impossibilité d'accéder à la poésie. On n'y accède pas ou plus, et encore moins par ce qu'on appelle des poèmes. « L'emportement vers l'authentique » nous est de plus en plus refusé. Seuls quelques musiciens, nous le sentons désormais aussitôt, y parviennent. L'inauthentique, qui est de nos jours la loi extérieure et intérieure, est bien « ce repli ramassé et moisi sur un présent toujours changeant ». Dans la nullité de la pensée, la ruée générale sur la marchandise, l'angoisse de la survie précaire, où trouverions-nous cet arrachement qu'est la poésie ? « Ce rapt qui, vibrant en soi, emporte avec violence vers l'avenir et rebondit vers l'avoir-été. » Je cite Heidegger, dans son livre *Les Hymnes de Hölderlin, la Germanie* et *le Rhin*.

L'« avoir-été » n'est pas le passé. Il se conjugue d'abord au futur, hier n'est que le seuil de toujours. Les illuminations dont nous parlons, chacune dans l'orbe de ce qu'il faut bien appeler « la sphère de puissance de la poésie », nous présentent un temps d'être volé au bavardage ambiant. Ce temps, on peut le définir ainsi : le temps du « il est enfin temps ». Le temps d'un combat dans l'urgence. Le ton fondamental est ainsi une puissance em-portante, mais aussi im-portante : elle emporte et elle importe. Elle importe d'autant plus qu'elle emporte. Elle ouvre, elle fonde. « Mais les poètes fondent ce qui demeure. » Raison pour laquelle ils sont l'objet de la fureur de ce qui sombre dans le passé, d'une malfaisance qui va vers la ruine, mais qui sait que quelque chose d'indemne est sauvé.

Voici comment Heidegger parle de ce qui est grand, le grand étant devenu aujourd'hui l'objet de la haine générale. « Le grand a sa durée historique parce qu'il est unique dans le temps, le grand a de la grandeur parce que et dans la mesure où il a toujours au-dessus de lui un plus grand. Pouvoir avoir au-dessus un plus grand, c'est le secret du grand. Le petit en est incapable, bien qu'il présente en fait de la façon la plus directe et la plus commode l'écart maximum avec le grand. Mais le petit ne veut que lui-même, c'est-à-dire précisément être petit, et son secret n'est pas un secret, mais un truc, la rouerie hargneuse qui s'entend à rapetisser et à frapper de suspicion tout ce qui ne lui ressemble pas, afin de le rendre semblable à elle. »

Il convient à présent de citer un extrait du *Rhin* (traduction François Fédier) :

> « *Cependant, devant certains*
> *Cela s'enfuit vite, d'autres*
> *Le gardent plus longtemps.*
> *Les dieux éternels sont*
> *Pleins de vie tout le temps ; jusqu'à la mort*
> *Un homme, pourtant, peut aussi*
> *En mémoire malgré tout garder ce qu'il y a de meilleur.*
> *Et alors il connaît ce qu'il y a de plus haut.*
> *Seulement, chacun a sa mesure.*
> *Car lourd est à porter*
> *Le malheur, mais le bonheur est plus lourd.*
> *Un sage pourtant a su*
> *Du midi jusqu'à minuit*
> *Et jusqu'à ce que le jour resplendît,*
> *Au banquet rester lucide.* »

« Le bonheur est plus lourd à porter que le malheur. » Arrêtons-nous un instant devant le vocable le plus important de la poésie d'Hölderlin, en allemand *Innigkeit*, que l'on peut traduire en français par Tendresse. Heidegger affirme qu'il n'y a de secret que là où règne la tendresse. Oubliez les connotations guimauves qu'on a pu donner à ce mot. Entendez plutôt une intensité et un tonus de tous les rapports entre eux, « l'immense tendresse où tout est en rapport avec tout ». Ce qui est extraordinaire ? Ce que Rimbaud nous dit à la fin d'*Une saison en enfer* : « Recevons tous les influx de vigueur et de tendresse réelle. »

Ici nous allons à *Andenken*, autrement dit *Souvenir* (traduction Gustave Roud) :

> « *Le vent du nord-est se lève,*
> *De tous les vents mon préféré*
> *Parce qu'il promet aux marins*
> *Haleine ardente et traversée heureuse.*
> *Pars donc et porte mon salut*
> *À la belle Garonne*
> *Et aux jardins de Bordeaux, là-bas*
> *Où le sentier sur la rive abrupte*
> *S'allonge, où le ruisseau profondément*
> *Choit dans le fleuve, mais au-dessus*
> *Regarde au loin un noble couple*
> *De chênes et de trembles d'argent.*
>
> *Je m'en souviens encore, et je revois*
> *Ces larges cimes que penche*
> *Sur le moulin la forêt d'ormes,*
> *Mais dans la cour, c'est un figuier qui croît.*
> *Là vont aux jours de fête*
> *Les femmes brunes*
> *Sur le sol doux comme une soie,*
> *Au temps de mars,*
> *Quand la nuit et le jour sont de même longueur,*
> *Quand sur les lents sentiers*
> *Avec son faix léger de rêves*
> *Brillants, glisse le bercement des brises.*
>
> *Ah ! qu'on me tende,*
> *Gorgée de sa sombre lumière,*
> *La coupe odorante*

Qui me donnera le repos ! Oh, la douceur
D'un assoupissement parmi les ombres !
Il n'est pas bon
De n'avoir dans l'âme nulle périssable
Pensée, et cependant
Un entretien, c'est chose bonne, et de dire
Ce que pense le cœur, d'entendre longuement parler
Des journées de l'amour
Et des grands faits qui s'accomplissent.

Mais où sont-ils ceux que j'aimais ? Bellarmin
Avec son compagnon ? Maint homme
A peur de remonter jusqu'à la source ;
Oui, c'est la mer
Le lieu premier de la richesse. Eux,
Pareils à des peintres, assemblent
Les beautés de la terre, et ne dédaignent
Point la Guerre ailée, ni
Pour des ans, de vivre solitaires
Sous le mât sans feuillage, aux lieux que ne trouent
                                        [point la nuit
De leurs éclats les fêtes de la ville,
Les musiques et les danses du pays.

Mais vers les Indes à cette heure
Ils sont partis, ayant quitté
Là-bas, livrée aux vents, la pointe extrême
Des montagnes de raisin d'où la Dordogne
Descend, où débouchent le fleuve et la royale
Garonne, larges comme la mer, leurs eaux unies.
La mer enlève et rend la mémoire, l'amour
De ses yeux jamais las fixe et contemple,
Mais les poètes seuls fondent ce qui demeure. »

149

Ce poème du séjour de Hölderlin à Bordeaux a été commenté par Heidegger dans une contribution pour commémorer le centenaire de la mort de Hölderlin en 1943. À cette époque, dans les jardins de Bordeaux, on entend des voix allemandes. Dans presque tous mes livres, je parle avec intensité de mon enfance et de cette époque à Bordeaux. À sept ans, j'ignorais bien entendu l'existence de ce poème. Le plus étrange, c'est que je ne peux le lire autrement qu'en pensant que je l'ai de tout temps vécu. Les voix allemandes étaient militaires, violentes et criardes ; le français se cachait ou chuintait de façon servile ; l'anglais, dans les greniers ou dans les caves, pouvait rappeler que Shakespeare existait, l'espagnol et l'italien étaient la langue des réfugiés politiques. Les juifs étaient pourchassés ; et dans les bombardements incessants observés par un enfant depuis un jardin, dans un ciel en feu, un aviateur allemand partant en vrille sous le tir d'un Spitfire pouvait très bien avoir dans sa poche ce poème de Hölderlin. D'où ma décision, bien plus tard, de me faire enterrer dans l'île de Ré, comme j'en ai le droit familial, près du carré où reposent des aviateurs de la Royal Air Force, tombés là pour ma liberté. Ils ont entre vingt et vingt-quatre ans, ils sont pilotes ou mitrailleurs. Personne ne les a réclamés, ils venaient d'Angleterre, mais aussi d'Australie ou de Nouvelle-Zélande.

> « *Le vent du nord-est se lève,*
> *De tous les vents mon préféré*
> *Parce qu'il promet aux marins*
> *Haleine ardente et traversée heureuse...* »

L'île dont je vous parle, avec son nom musical, est extrêmement propice à l'observation des vents et des oiseaux. Chez nous, le vent du nord-est s'appelle le nordé. J'y suis très habitué depuis l'enfance. Tout familier de la navigation sait de quoi il s'agit avec le nordé. Un peu plus bas, sur la côte, Hölderlin vient saluer « la belle Garonne » et « les jardins de Bordeaux », où il est dommage que ni Nietzsche ni Heidegger ne soient venus. L'Allemagne n'a su nous envoyer, après son plus grand poète, innocent entre tous, que des brutes meurtrières. Car, voyez-vous, quand Hölderlin décrit ce lieu en le haussant au-dessus de sa situation géographique, il parle d'une fête où, dit-il, les femmes brunes vont sur un sol de soie. Heidegger, dans son commentaire, ressent profondément ce poème, même si, de toute évidence, il a du mal a concevoir les femmes brunes. Mais reste la jouissance somptueuse de Hölderlin lui-même, dans ce poème extraordinaire de sérénité, où le vin prend toute sa place :

> « *Là-bas, livrée aux vents, la pointe extrême*
> *Des montagnes de raisin d'où la Dordogne*
> *Descend, où débouchent le fleuve et la royale*
> *Garonne, larges comme la mer, leurs eaux unies.*
> *La mer enlève et rend la mémoire, l'amour*
> *De ses yeux jamais las les fixe et contemple... »*

Qu'est-ce qui se dit là dans « là-bas » ? Les fleuves sans doute, mais d'abord un delta, les vignes, l'océan, l'embouchure et surtout le mascaret. La remontée de l'océan, non pas de la mer, dans le fleuve qui devient

151

une eau limoneuse et rouge. Hölderlin, en partant pour la France, pensait qu'en allant à Bordeaux il allait en Provence. Il allait en réalité dans une autre Grèce. Il faut reproduire la lettre qu'il écrit après son séjour à Bordeaux (traduction Denise Naville) :

« (...) J'ai été en France et j'ai vu la terre triste et solitaire, les bergers de la France méridionale et certaines beautés, hommes et femmes, qui ont grandi dans l'angoisse du doute patriotique et de la faim.

L'élément puissant, le feu du ciel et le silence des hommes, leur vie dans la nature, modeste et contente, m'ont saisi constamment, et comme on le prétend des héros, je puis bien dire qu'Apollon m'a frappé.

Dans les régions qui confinent à la Vendée, j'ai été intéressé par l'élément sauvage, guerrier, le pur viril à qui la lumière de la vie est donnée immédiatement dans les yeux et les membres et qui éprouve le sentiment de la mort comme une virtuosité où s'assouvit sa soif de savoir.

L'aspect athlétique des Méridionaux, au milieu des vestiges de l'esprit antique, m'a familiarisé davantage avec la véritable nature des Grecs ; j'ai appris à connaître leur caractère et leur sagesse, leurs corps, leur manière de grandir dans leur climat et la règle par laquelle ils préservaient le génie présomptueux de la violence de l'élément.

C'est ce qui déterminait leur caractère ethnique, leur façon d'assimiler les natures étrangères et de se communiquer à elles. Voilà leur individualité originale, laquelle se traduit dans la vie du fait que l'intelligence suprême est force de réflexion, au sens grec ; et cela est compréhensible lorsqu'on a compris le corps héroïque des Grecs ; leur caractère populaire est tendresse (...). »

Il me faut aussi citer le poème *En bleu adorable* (traduction André du Bouchet) :

« *En bleu adorable fleurit*
Le toit de métal du clocher. Alentour
Plane un cri d'hirondelle, autour
S'étend le bleu le plus touchant. Le soleil
Au-dessus va très haut et colore la tôle,
Mais silencieuse, là-haut, dans le vent,
Crie la girouette.
Quand quelqu'un
Descend, au-dessous de la cloche, les marches, alors
Le silence est vie ; car
Lorsque le corps à tel point se détache,
Une figure sitôt ressort, de l'homme.
Les fenêtres d'où tintent les cloches sont
Comme des portes, par vertu de leur beauté. Oui,
Les portes étant encore de la nature, elles
Sont à l'image des arbres de la forêt. Mais la pureté
Est, elle, beauté aussi.
Du départ, au-dedans, naît un Esprit sévère.
Si simples sont les images, si saintes,
Que parfois on a peur, en vérité,
Elles, ici, de les décrire. Mais les Célestes,
Qui sont toujours bons, du tout, comme les riches,
Ont telle retenue, et la joie. L'homme
En cela peut les imiter.

Un homme, quand la vie n'est que fatigue, un homme
Peut-il regarder en haut, et dire : tel
Aussi je voudrais être ? Oui. Tant que dans son cœur
Dure la bienveillance, toujours pure,
L'homme peut avec le Divin se mesurer
Non sans bonheur. Dieu est-il inconnu ?
Est-il, comme le ciel, évident ? Je le croirais
Plutôt. Telle est la mesure de l'homme.
Riche en mérites, mais poétiquement toujours,
Sur terre habite l'homme. Mais l'ombre
De la nuit avec les étoiles n'est pas plus pure,
Si j'ose le dire que
L'homme, qu'il faut appeler une image de Dieu. »

Arrêtons-nous un instant sur les vers suivants :

Dieu est-il inconnu ?
Est-il, comme le ciel, évident ? Je le croirais
Plutôt.

Dans les jardins de Bordeaux, au bord de la Garonne, dans les montagnes de raisin, Dieu, alors que je marchais à peine, me paraissait évident. Il y avait certes un grand bouleversement humain et des églises, mais rien qu'en levant la tête, en regardant les grappes, la coulée du fleuve et les femmes brunes de mon entourage, Dieu était évident, c'est-à-dire visible à l'œil nu. Quand les femmes brunes, au temps de mars, alors que nous sommes dans l'égalité du jour et de la nuit, marchent sur le sol soyeux, il faut entendre bien sûr que leur peau est une terre métamorphosée en joie et tendresse. L'être enfantin toujours négligé, ignoré, abandonné dans un coin, fait des expériences dont l'adulte futur ne sait plus rien et ne veut plus rien savoir.

*
* *

Le génie, dit Baudelaire, est l'enfance retrouvée à volonté. Pour lui, comme pour Hölderlin, la poésie fonde ce qui demeure. Souvenez-vous de *Bénédiction* :

> « *Lorsque, par un décret des puissances suprêmes,*
> *Le Poète apparaît en ce monde ennuyé,*
> *Sa mère épouvantée et pleine de blasphèmes*
> *Crispe ses poings vers Dieu, qui la prend en pitié :*
>
> *— « Ah ! que n'ai-je mis bas tout un nœud de vipères,*
> *Plutôt que de nourrir cette dérision !*
> *Maudite soit la nuit aux plaisirs éphémères*
> *Où mon ventre a conçu mon expiation !*
>
> *Puisque tu m'as choisie entre toutes les femmes*
> *Pour être le dégoût de mon triste mari,*
> *Et que je ne puis pas rejeter dans les flammes,*
> *Comme un billet d'amour, ce monstre rabougri,*
>
> *Je ferai rejaillir ta haine qui m'accable*
> *Sur l'instrument maudit de tes méchancetés,*
> *Et je tordrai si bien cet arbre misérable*
> *Qu'il ne pourra pousser ses boutons empestés !* »
>
> *Elle ravale ainsi l'écume de sa haine,*
> *Et, ne comprenant pas les desseins éternels,*

Elle-même prépare au fond de la Géhenne
Les bûchers consacrés aux crimes maternels.

Pourtant, sous la tutelle invisible d'un Ange,
L'Enfant déshérité s'enivre de soleil,
Et dans tout ce qu'il boit et dans tout ce qu'il mange
Retrouve l'ambroisie et le nectar vermeil.

Il joue avec le vent, cause avec le nuage,
Et s'enivre en chantant du chemin de la croix ;
Et l'Esprit qui le suit dans son pèlerinage
Pleure de le voir gai comme un oiseau des bois.

Tous ceux qu'il veut aimer l'observent avec crainte,
Ou bien, s'enhardissant de sa tranquillité,
Cherchent à qui saura lui tirer une plainte,
Et font sur lui l'essai de leur férocité.

Dans le pain et le vin destinés à sa bouche
Ils mêlent de la cendre avec d'impurs crachats ;
Avec hypocrisie ils jettent ce qu'il touche,
Et s'accusent d'avoir mis leurs pieds dans ses pas.

Sa femme va criant sur les places publiques :
« Puisqu'il me trouve assez belle pour m'adorer,
Je ferai le métier des idoles antiques,
Et comme elles je veux me faire redorer ;

Et je me soûlerai de nard, d'encens, de myrrhe,
De génuflexions, de viandes et de vins,
Pour savoir si je puis dans un cœur qui m'admire
Usurper en riant les hommages divins !

Et, quand je m'ennuierai de ces farces impies,
Je poserai sur lui ma frêle et forte main ;
Et mes ongles, pareils aux ongles des harpies,
Sauront jusqu'à son cœur se frayer un chemin.

Comme un tout jeune oiseau qui tremble et qui palpite,
J'arracherai ce cœur tout rouge de son sein,
Et, pour rassasier ma bête favorite,
Je le lui jetterai par terre avec dédain ! »

Vers le Ciel, où son œil voit un trône splendide,
Le Poète serein lève ses bras pieux,
Et les vastes éclairs de son esprit lucide
Lui dérobent l'aspect des peuples furieux :

— « Soyez béni, mon Dieu, qui donnez la souffrance
Comme un divin remède à nos impuretés
Et comme la meilleure et la plus pure essence
Qui prépare les forts aux saintes voluptés !

Je sais que vous gardez une place au Poète
Dans les rangs bienheureux des saintes Légions,
Et que vous l'invitez à l'éternelle fête
Des Trônes, des Vertus, des Dominations.

Je sais que la douleur est la noblesse unique
Où ne mordront jamais la terre et les enfers,
Et qu'il faut pour tresser ma couronne mystique
Imposer tous les temps et tous les univers.

Mais les bijoux perdus de l'antique Palmyre,
Les métaux inconnus, les perles de la mer,
Par votre main montés, ne pourraient pas suffire
À ce beau diadème éblouissant et clair ;

Car il ne sera fait que de pure lumière,
Puisée au foyer saint des rayons primitifs,
Et dont les yeux mortels, dans leur splendeur entière,
Ne sont que des miroirs obscurcis et plaintifs ! »

Esprit de la plus haute religion, Baudelaire écrit en 1857, lors du procès que le procureur Pinard instruit contre *Les Fleurs du mal,* qu'il a composé un « ouvrage spirituel ». Il dit encore ceci : « Avant tout, être un grand homme et un saint pour soi-même. » Et encore ceci : « Tout poète lyrique, en vertu de sa nature, opère fatalement un retour vers l'Éden perdu. » Quelles que soient les inlassables souffrances d'une vie effroyable – Baudelaire note : « Mes humiliations ont été des grâces de Dieu » –, il connaît la double grâce de

... piquer dans le but, de mystique nature...

Alors le sens chrétien, la réalité charnelle, la douleur, cette joie parfaite qui éclôt en fleur du bien sur la pointe extrême de toute souffrance, la beauté enfin sont en harmonie ; et le génie de Baudelaire surgit, d'autant plus fulgurant qu'il a payé le prix fort. Il décrit l'univers du divin requalifié :

Anges revêtus d'or, de pourpre et de hyacinthe,
Ô vous, soyez témoins que j'ai fait mon devoir
Comme un parfait chimiste et une âme sainte.

Avec *Bénédiction,* Baudelaire nous confronte au drame de la mère du poète, et Dieu sait, si j'ose dire, si

Mme Hölderlin mère, Mme Baudelaire mère, Mme Rimbaud mère, Mmes Nietzsche mère et sœur ont représenté une force de répression et d'occultation par rapport à ces fils-là.

**

J'insiste simplement pour préciser que Hölderlin dans *Souvenir* voit dans la nature une possibilité d'engendrement qui ne ressortirait pas à l'esprit de vengeance, au contraire de *Bénédiction* qui ouvre... *Les Fleurs du mal*! Le mal, partout présent, à chaque instant – surveillance plombée de l'humain –, aurait été distrait : il aurait laisser passer du divin. Du divin évident comme le ciel. Voilà ce que j'entends murmurer ma perception, lorsqu'elle rejoint le poème de Hölderlin. Dit plus exactement, ce poème n'en finit pas de me faire signe et de s'approcher de moi, quand, mais uniquement quand, je suis moi.

Quand Hölderlin écrit :

Maint homme
A peur de remonter jusqu'à la source

pourquoi la source effraierait-elle dans son jaillissement inépuisable ? La peur naît de la représentation que nous nous faisons en général des sources : un point originaire, un commencement, une désintégration, une explosion, un big-bang... tandis que l'océan reste, à ses yeux, le lieu premier de la richesse. Ce que Hölderlin rassemble, c'est le vent, la navigation, les fleuves, les jardins, les arbres (chênes, trembles, ormes, figuiers), les femmes brunes, les sols de soie, l'égalité des jours et des nuits, les sentiers, les bercements des brises, le poids léger des rêves brillants, la sombre lumière du vin (merci Margaux), la pensée du cœur, les paroles des journées de l'amour, les hauts faits, les demi-dieux...

Les hommes sont partis vers les Indes

Entendons vers les îles. J'ai encore des menus de restaurants de Bordeaux de mes arrière-grands-parents où le vin bu à l'occasion de banquets porte la mention « retour des îles ». On mettait le vin en barriques dans des cargaisons, le tangage le faisait mûrir, et les marins pouvaient apparaître comme des prêtres de Dionysos.

Ces derniers sont pareils à des peintres, dit encore Hölderlin. Pourquoi des peintres ? Parce qu'ils assemblent les beautés de la terre et ne dédaignent pas la guerre ailée. Pendant des années, ils vivent solitaires sous le mât sans feuillage, etc. Les hommes sont partis, ils ont des barriques dans leur cale, ils font la guerre et l'aller-retour du vin, ils sont solitaires, loin des musiques, des danses et des femmes brunes – ils sont comme des peintres. Ce qui laisse à penser que ces hommes, au retour, seront plutôt silencieux, économes de leur langue, simplement parce qu'ils auront vu et vécu beaucoup de choses.

L'enfant a donc pour lui tout le lieu et tout le temps où peuvent se révéler la mémoire et l'amour. La mémoire, parce que la mer l'enlève et la rend – il y a un va-et-vient de la mémoire selon le rythme des marées. Il n'y a pas que le vent qui nous vient d'ailleurs, il n'y a pas que le fleuve qui nous donne l'idée de la source inépuisable, il y a les marées qui peuvent indiquer le moment de partir ou de revenir près des côtes. Tout cela introduit l'amour qui de ses yeux jamais las fixe et contemple. Nous sommes dans l'ordre chérubinique. Il y a, à Venise sur l'un des quais, un profil sculpté angélique qui fixe et contemple les mouvements du port. Au-dessus des chérubins, les séraphins en feu sont plus près de la source, et nous, jamais fatigués, sans fin, nous restons dans la contemplation. J'ai dit chérubin, j'introduis cet enfant, l'enfant Mozart si vous voulez bien.

Comme le dit Rimbaud, toujours : « Il y a quelques jeunes – comment regarderaient-ils Chérubin ? – pourvus de voix effrayantes et de quelques ressources dangereuses. »

De tout ce mouvement léger et guerrier se lèvent les poètes (s'ils sont capables de cela !) qui « fondent ce qui demeure ». En ce qui me concerne, nous ne sommes pas en 1802, mais en 1940, 41, 42, 43, 44, c'est l'Occupation, comme on dit. Bruit, fureur, bombes, messages contradictoires, voix dans toutes les langues, propagande, lâcheté, servilité, collaboration, effondrement, mais aussi – ô comme c'est étrange – clandestinité,

déchiffrement de messages codés, solitudes invraisem-
blables, parachutistes cachés, tout le monde est très
occupé. En 1802, il faut qu'un poète parmi les plus
grands vienne d'Allemagne, en vivant à fond l'inépuisable source grecque comme personne ne l'avait fait
avant lui, pour dire ce qui se passait et que les
autochtones, tout en le vivant dans leur corps, étaient
incapables de dire. Entre 1936 et 1943, un penseur
commence à se demander ce que Hölderlin a dit. Bien
entendu, il est lui aussi emporté dans la tourmente,
mais, avec Hölderlin et Nietzsche, il prévient de
l'énormité d'un oubli. Dans le même temps, un enfant
à Bordeaux, à une époque où tout le monde est occupé
à se dénoncer, à se déporter, à tuer, un enfant, donc,
lève la tête et se dispose à l'évidence, c'est-à-dire à une
incroyable révélation d'une fondation uniquement
poétique de la durée.

Je cite l'Ister (traduction Armel Guerne) :

Arrive à présent, Feu !
Nous avons grand désir
De regarder le Jour

Le jour pouvait apparaître à l'époque d'une façon
enfantine comme un miracle. Chaque jour est un
miracle en soi.

Ici même, la formule de Rimbaud « Arrivée de
toujours qui t'en iras partout » fait sens. La raison venait
de partout, mais elle n'allait pas partout. Elle venait de

partout dans cette dévastation qui continue, sous une autre forme, pour empêcher « l'arrivée de toujours ».

C'est désormais l'occupation du vide que dans une belle formule Guy Debord décrit ainsi : « les salariés surmenés du vide ». Le monde est vide, il se dévide sous nos yeux. Comme le dit Heidegger : « Le vide n'a pas d'autre occupation que d'organiser l'oubli de la dernière vérité, à savoir que le néant n'a pas son être sans l'Être. »

XI

Non loin d'Alep, dans le nord de la Syrie, vivait voilà plus de mille ans Abû l-Ala al-Ma'arrî, un sage rompu à l'ironie, dit-on, qui écrivit des textes sous le nom de *Luzûmiyyât*, traduits en français par : *Rets d'éternité*. J'y lis ceci :

Les hommes sont poèmes récités par leur destin —
Parmi eux le vers libre et le vers enchaîné.

**

« Je pensais à la Montagne des fleurs tout le jour, raconte le peintre Wang Hsi, j'y pensais partout, dans le silence de ma chambre, dans le tumulte des rues, en écoutant la musique ou en écrivant des poèmes. Un jour, je me reposais quand j'entendis de la trompette et du tambour sous mes fenêtres, je sautai du lit et, tout à coup, *j'ai vu la Montagne des fleurs*. Je venais de comprendre que le seul moyen de peindre la Montagne des fleurs était la Montagne des fleurs elle-même dans mon cœur – mon cœur devenu mes yeux – mes yeux la Montagne des fleurs. »

Et Rimbaud en écho : « Avivant un agréable goût d'encre de Chine, une poudre noire pleut doucement sur ma veillée. – Je baisse les feux du lustre, je me jette sur le lit et, tourné du côté de l'ombre, je vous vois, mes filles ! mes reines ! »

_{* *}*

* * *

Toutes les illuminations occidentales que nous avons convoquées sont rendues à la fois plus nécessaires et plus compréhensibles si, nous déprenant de la métaphysique, nous les entendons depuis une enveloppe chinoise. Après avoir été longtemps refoulée, cette approche sera évidente demain. Ouvrons Tchouang-tseu qui, avec Lao-tseu et Li-tseu, est le plus grand penseur de la Chine antique. Quoique né apparemment autour de 300 avant notre ère, il s'approche sans nulle déperdition d'énergie et de vérité de nous, « debout, comme dit Rimbaud, dans la rage et les ennuis ».

Citation de Lao-tseu (traduction Liou Kia-Hway) : « Le roi éclairé étend partout ses bienfaits, mais il ne fait pas subir qu'il en est l'auteur. Il aide et améliore tous les êtres sans que ceux-ci sentent qu'ils sont sous sa dépendance. Le monde ignore son nom et chacun est content de soi. Ses actes sont imprévisibles et ils s'identifient avec le néant. »

Qu'est-ce que le Tao, c'est-à-dire la Voie ? La Voie vraiment Voie, nous dit le *Tao-tö-king*, est « autre qu'une voie constante. Les termes, vraiment termes, sont autres que des termes constants ».

Aucune prise n'est possible sur le Tao. Il est changeant et immuable au même moment. À preuve ce que déclare Tchouang-tseu : « Les cas de l'affirmation sont une infinité ; les cas de la négation également. Ainsi il est dit : le mieux est d'avoir recours à l'illumination. »

Autre citation : « Accomplir sans savoir pourquoi, voilà le Tao. »

Vous voyez à quel point ce « sans savoir pourquoi », comme la rose est sans pourquoi, choque d'emblée notre passion inquisitoriale, notre volonté de puissance fondée sur le calcul général et la mise en sûreté ou en sécurité de tout.

Ensuite, Tchouang-tseu définit le saint : « Il dose l'affirmation et la négation en se reposant sur le cours du ciel. Cela s'appelle une solidité ambivalente. »

Exemples choisis : « Le Tao suprême n'a pas de nom ; la bienveillance suprême exclut toute bienveillance partielle ; la pureté suprême est sans ostentation ; le courage suprême est sans cruauté. Le Tao explicité n'est plus le Tao, le raisonnement n'atteint plus la vérité ; la bienveillance qui s'obstine est incomplète ; la pureté exclusive ne conquiert pas le cœur ; le courage qui s'accompagne de cruauté n'atteint pas son but. Tous sont comme un cercle qui s'efforcerait de devenir carré. »

Ou encore : « Qui émet son jugement selon la mesure du Ciel suit les circonstances qui changent. C'est ainsi qu'il atteint le terme de ses années. C'est en oubliant ses années et leur convenance qu'il s'inspire de l'infini et s'y fixe. »

Voici un poème dit par un prétendu fou qui se moque de Confucius :

> *« On ne peut compter sur l'avenir ;*
> *On ne peut remonter le passé.*
> *Quand le monde est en ordre,*
> *Le saint accomplit sa mission.*
> *Quand le monde est en désordre*
> *Le saint préserve sa vie.*
> *À présent, on ne cherche qu'à éviter la torture :*
> *Le bonheur est plus léger qu'une plume ;*
> *Personne ne sait le prendre.*
> *Le malheur est plus lourd que la terre ;*
> *Personne ne sait le laisser.*
> *Fini ! Fini !*
> *Celui qui choisit un pays pour le servir.*
> *Ronces ! Ronces !*
> *Qu'elles ne blessent pas mes chevilles !*
> *Recule, recule,*
> *Ainsi je ne blesse plus mes pieds. »*

Encore une évidence radicale : « La mort et la vie, grand problème de l'homme, lui sont indifférents ; l'effondrement de l'univers ne le perdrait pas. Scrutant le non-dérivé, il n'est pas entraîné par les choses ; considérant comme fatale la transformation des choses, il s'attache à leurs principes. »

Comment apprend-t-on le Tao ? « Je l'ai appris du fils de l'écriture ; celui-ci du petit-fils de la lecture ; celui-ci de l'illumination ; celle-ci de l'attention soutenue ; celle-ci du travail pénible ; celui-ci du chant ; celui-ci de l'obscurité profonde ; celle-ci du vide suprême ; celui-ci du sans commencement. »

Que produit sa pratique ? « Il voit l'obscurité et entend le silence. Lui seul perçoit la lumière derrière l'obscurité ; lui seul perçoit l'harmonie derrière le silence. Il approfondit sa vision et spiritualise son audition afin de pouvoir pénétrer la création de l'existence et de l'essence. Dans son commerce avec les êtres, il s'établit dans le néant originel et il pourvoit aux besoins de tous. Il sait s'adapter à toutes les circonstances : grand ou petit, long ou court, lointain ou proche. »

Ou bien : « Les Anciens visaient à s'adapter aux transformations extérieures, sans se transformer intérieurement. Nos contemporains sont modifiés par le monde extérieur plus qu'ils ne s'adaptent à lui. Qui se transforme pour s'adapter à toutes les variations des êtres extérieurs doit s'identifier avec ce qui ne se transforme pas. Tranquillement, il se transforme, mais tranquillement aussi ne se transforme pas. Tranquillement, il entre en contact avec les êtres, mais sans jamais en faire trop. »

Ou encore ceci : « Le néant représente la tête, la vie le tronc, la mort le cul. De celui qui sait que l'être, le néant, la mort et la vie n'ont qu'une même origine, je suis l'ami. Ces trois choses (le néant, la vie et la mort) bien que différentes constituent une famille commune. »

Ou encore ceci : « Un homme amputé d'un pied ne s'orne plus parce qu'il se moque du blâme ou de la louange. Un forçat n'a plus peur sur un point élevé parce qu'il se dit désintéressé de la vie et de la mort. Celui qui n'a aucune honte de recommencer son exercice oublie les hommes. Celui qui oublie les hommes est un homme du ciel : s'il est vénéré, il n'en sera pas joyeux ; s'il est insulté, il n'en sera pas fâché. Seul celui qui participe à l'harmonie du ciel peut arriver à cet état d'âme. »

Ou encore ceci : « Quiconque connaît la grande unité, la grande obscurité, la grande vue, la grande équité, la grande loi, la grande confiance et le grand équilibre atteindra à la connaissance suprême. Car la grande unité relie tout ; la grande obscurité dissout tout ; la grande vue pénètre tout ; la grande équité englobe tout ; la grande loi régit tout ; la grande confiance gagne tout ; le grand équilibre soutient tout.

Toute existence a son ciel, toute recherche sa lumière ; toute communion son pivot ; tout commencement son Cela. Qui le déchiffre paraît ne pas le déchiffrer ; qui le connaît paraît ne pas le connaître : seul qui cherchera à ne pas le connaître peut le connaître. Aussi il ne l'interroge plus, ni comme fini, ni comme infini. Derrière les phénomènes désormais il y a quelque chose qui ne change pas. Il demeure insubstituable et inaltérable depuis toujours. Ne peut-on donc pas considérer qu'il y a là quelque chose d'évident et de solide ? Pourquoi ne consulte-t-on pas seulement et persiste-t-on dans l'erreur ? Quiconque dissipe l'erreur par la certitude retrouve la certitude. C'est là vénérer la grande certitude. » Je vous donne l'original chinois : « Par non-doute dénouer doute, faire retour à non-doute, cela vénérer grand non-doute. » Bonne chance !

Ou encore ceci : « L'homme parfait ramène son âme au non-commencement et se réjouit obscurément au pays du néant. Il est comme l'eau qui coule, comme la grande pureté qui se répand. Vous ne connaissez que la pointe du poil et vous ignorez la grande paix. Quel dommage ! »

Le dommage ? « Celui qui parvient à la Grande Destinée s'adapte, mais celui qui ne saisit que sa petite destinée la subit. » Ceci encore de Lao-tseu : « Connais le masculin, adhère au féminin, sois le ravin du monde ; connais la gloire, adhère à la disgrâce, sois la vallée du monde. »

Inutile d'insister sur la conception chinoise du masculin et du féminin (yang et yin) que tout le monde croit connaître, mais qui échappe à la métaphysique occidentale. Raison pour laquelle un homme et une femme s'ils se rencontrent, ce qui est très rare, ne sont pas deux, ne sont pas là pour faire un, mais sont quatre. Le masculin d'un homme ne sera jamais celui d'une femme, le féminin d'une femme ne sera jamais celui d'un homme, et tous les embarras autour de cette question qui remplissent les bibliothèques, la plupart des musiques et le cinéma sans exception, seraient dissipés par l'obtention de ce fonctionnement à quatre, qui, dans notre culture nihiliste, est ce qu'il y a de plus subversif, de plus interdit.

Conclusion à propos du saint chinois : « Il s'exprime dans des discours extravagants, dans des paroles inédites, dans des expressions sans queue ni tête, parfois trop libres, mais sans partialité, car sa doctrine ne vise pas à traduire des points de vue particuliers. Il juge le monde trop boueux pour être exprimé dans des propos sérieux. C'est pourquoi il estime que les paroles de circonstance sont prolixes, que les paroles de poids ont leur vérité, mais que seules les paroles révélatrices possèdent un pouvoir évocateur dont la portée est illimitée. Ses écrits, bien que pleins de magnificence, ne choquent personne, parce qu'ils ne mutilent pas la réalité complexe. Ses propos bien qu'inégaux renferment des merveilles et des paradoxes dignes de considération. Il possède une telle plénitude intérieure qu'il n'en peut venir à bout. En haut, il est le compagnon du créateur ; en bas, il est l'ami de ceux qui ont transcendé la mort et la vie, la fin et le commencement. La source de sa doctrine est ample, ouverte, profonde et jaillissante ; sa doctrine vise à s'harmoniser avec le principe et à s'élever à lui. Et pourtant, en répondant à l'évolution du monde et en expliquant les choses, il offre une somme inexprimable de raisons qui viennent sans rien omettre, mystérieuses, obscures et dont personne ne peut sonder le fond. »

XII

« Dieu est mort ? Mais oui, Dieu est mort. C'est précisément ce que disent les Écritures. Seulement voilà, Il a la fâcheuse habitude de ressusciter au troisième jour. » Dixit Paul Claudel, le disciple catholique de Rimbaud.

**

En écho, entendons la parole de Heidegger, publiée à titre posthume en 1976 : « La philosophie ne pourra pas provoquer un changement immédiat de l'état présent du monde. Cela ne vaut pas seulement pour la philosophie, mais pour toute visée et tout vouloir humain. Seul un Dieu peut encore nous sauver. La seule possibilité qui nous reste dans la pensée et la poésie, c'est la disponibilité pour la manifestation de ce Dieu, ou pour l'absence de ce Dieu dans la catastrophe : que nous sombrions face au Dieu absent. »

**

L'illumination entraîne souvent une « dévotion » spécifique

Voici la *devotio moderna* que Rimbaud a composée :

« À ma sœur Louise Vanaen de Voringhem. – Sa cornette bleue tournée à la mer du Nord. – Pour les naufragés.

À ma sœur Léonie Aubois d'Ashby. Baou. – l'herbe d'été bourdonnante et puante. – Pour la fièvre des mères et des enfants.

À Lulu, – démon – qui a conservé un goût pour les oratoires du temps des Amies et de son éducation incomplète. Pour les hommes ! À madame***

À l'adolescent que je fus. À ce saint vieillard, ermitage ou mission.

À l'esprit des pauvres. Et à un très haut clergé.

Aussi bien à tout culte en telle place de culte mémoriale et parmi tels événements qu'il faille se rendre, suivant les aspirations du moment ou bien notre propre vice sérieux.

Ce soir à Circeto des hautes glaces, grasse comme le poisson, et enluminée comme les dix mois de la nuit rouge, – (son cœur ambre et spunk), – pour ma seule prière muette comme ces régions de nuit et précédant des bravoures plus violentes que ce chaos polaire.

À tout prix et avec tous les airs, même dans des voyages métaphysiques. – Mais plus *alors*. »

**
* *

Mais enfin pourquoi la musique fonde-t-elle incessamment toute illumination ? Musique veut dire aussi bien un certain silence. De ce silence jaillit une force que recèlent les mots que nous employons le plus souvent sans les entendre. Le pèlerin chérubinique d'Angelus Silesius nous prévient :

Un cœur calme en son fond, calme devant Dieu comme celui-ci le veut,
Dieu le touche volontiers, car ce cœur est Son luth.

On retrouve justement le mot « luth » dans l'un des plus beaux airs d'Henry Purcell composé en 1694 pour l'anniversaire de la reine Marie :

Strike the viol, touch the luth
Wake the harp, inspire the flute :
Sing your Patroness's praise,
Sing in cheerful and harmonious lays.

Prenons à présent l'exemple d'un des plus grands héros du XXe siècle, qui, à lui seul, a fait une percée illuminante dans l'organisation de l'oubli : Alfred Deller, né à Margate le 31 mai 1912, mort, à l'âge de soixante-sept ans, à Bologne le 16 juillet 1979. Avec lui, le fait que la musique soit au cœur du texte dans son rythme, et sa modulation, devient bouleversant d'évidence. René Jacobs raconte : « Sa compréhension du texte constituait d'emblée une large partie de son travail. Je me souviens comment, rien qu'en lisant le texte d'un air, il arrivait à le rendre très expressif. Avec lui chaque parole, chaque mot, chaque syllabe était intelligible. »

D'Alfred Deller, Gustav Leonhardt dit : « C'était un homme très gai qui n'aimait pas travailler. Pas une fois, en dehors d'une improvisation, basée uniquement sur le tempo, je ne l'ai entendu vocaliser. Il passait son temps à lire. La voix n'avait pour lui aucun intérêt. Il ne cherchait d'ailleurs pas à émouvoir l'auditoire par sa voix, mais par les textes qu'il interprétait. Depuis, je n'ai jamais entendu un chanteur exprimer si clairement le sens des mots. Deller n'était pas seulement un grand chanteur, mais un artiste extraordinaire de naturel. »

Le génie qui consiste à coupler, mêler, faire résonner et s'arc-bouter l'une sur l'autre musique et parole ne tombe pas du ciel à l'improviste en Angleterre au temps de Shakespeare ; il ne tombe pas non plus par hasard, beaucoup plus tard, de façon fulgurante, à travers la voix d'Alfred Deller, au moment de la plus grande catastrophe humaine – en pleine Seconde Guerre mondiale. Le témoignage qui nous importe à ce sujet est celui du compositeur Michael Tippett qui entend, pour la première fois en 1943, dans la cathédrale de Canterbury, Alfred Deller entonner les premières mesures de *Music for a while* d'un musicien alors à peu près inconnu, Henry Purcell. Tippett ressent le choc décisif suivant : « À ce moment, j'ai eu l'impression que les siècles remontaient leur cours. »

Music for a while shall all your cares beguile :
Wond'ring how your pains were eas'd,
And disdaining to be pleas'd,
Till Alecto free the dead from their eternal bands,
Till the snakes drop from her head,
And the whip from out her hands.
Music for a while shall all your cares beguile.

La musique, un instant, allégera votre détresse...

Dans le nom de Purcell, entendons bien le mot
« *cell* » – cellule ; et dans le nom de Deller, entendons
aussi le mot air.

Sans l'apparition géniale de Deller, l'existence de la
voix de contre-ténor, mais aussi celle de son répertoire
qui va de Guillaume de Machaut à Jean-Sébastien Bach,
dont tout le XIXᵉ siècle avait programmé la destruction
rageuse, accomplissant ainsi une violente vengeance
contre la féerie, n'aurait jamais dû revenir : si tel avait
été le cas, elle aurait emporté avec elle une liberté
radicale. Non pas une anomalie, mais la vibration en
surplus, triomphant de la négation dont elle a été
l'objet.

Prenons la représentation toute simple de la virilité
avec son haut fléché – en haut à droite –, considérons
cette flèche et appelons-la, au grand scandale de la
représentation dix-neuviémiste et des ravages ultérieurs,
toujours en cours, Alfred Deller. Quoi qu'en pense féro-
cement la sexinite, *avec* et *par* cette voix, nous assistons

à une trouée dans le temps du marasme sexuel. Ce que l'on retrouve magnifié dans les *Sonnets* de Shakespeare :

> *S'il n'est airain, ni pierre, ni terre, ni mer sans bornes*
> *Sur qui la triste loi de la mort n'ait d'empire,*
> *Contre cette fureur comment pourra plaider*
> *La beauté dont la force est celle d'une fleur ?*
> *Ah ! comment donc l'haleine embaumée de l'été*
> *Soutiendra-t-elle le siège et les assauts des jours*
> *Quand il n'est roc inexpugnable qui soit si ferme,*
> *Portail d'acier si dur, que le Temps ne les ruine ?*
> *L'effrayante pensée ! Las ! où cacher au temps*
> *Son joyau le plus beau pour qu'il ne le reprenne*
> *En son coffret ? Qui peut retenir son pied leste ?*
> *Ou qui peut l'empêcher de piller la beauté ?*
>
> *Personne, hélas ! à moins qu'un miracle prévale*
> *Et qu'en cette encre noire mon amour brille encore.*

Deller passait son temps à lire de la poésie, il indiquait un tempo et la musique surgissait « *for a while* », « pour un instant », en passant, brillant de ne faire que passer. Il faut rappeler aussitôt que les pièces de Shakespeare, l'accent qui les rend inimitables, c'est ce qu'il faut bien appeler la qualité de leurs *interludes*. Shakespeare n'est jamais plus shakespearien que dans l'intervalle de l'action, que dans la veille et la halte, le balancement nocturne entre les journées fertiles, cette hésitation et ce murmure rêveur qu'exhalent ses héros aux moments d'accalmie, quand leur destin leur laisse le temps de questionner *l'autre en eux. Roméo et Juliette* se rythme ainsi de temps morts et de pauses, où l'angoisse et la volupté s'expriment rêveusement, tandis que dans l'ombre se resserrent les rouages de la machine infernale. « J'ai peur, et bien trop tôt, soupire Roméo. Je pressens avec angoisse des événements, encore suspendus aux astres, qui des plaisirs de cette nuit feront naître amèrement un rendez-vous de larmes. » Il n'est par ailleurs pas de théâtre plus entrecoupé de nocturnes que celui de Shakespeare. C'est que la nuit est attente, avant les devoirs que le jour désigne, avant les actions qu'il impose. « Bonne nuit, bonne nuit », se disent les amants de Vérone avant l'aurore. L'ouverture du cinquième acte du *Marchand de Venise* n'est qu'un long duo nocturne, une invocation à la nuit protectrice et pitoyable. « C'est par une nuit semblable, Jessica... », et autour du couple cerné d'ombre, les visiteurs de minuit montent une garde fragile : Troïlus sur les remparts de Troie, espérant Cressida, Thisbé d'un pas craintif effleurant la rosée, Didon sur le rivage rappelant Énée, Médée cueillant des herbes magiques. *Henri V,* c'est la veillée du roi à l'aube qui ira livrer bataille. *Jules César,* c'est la maison de Brutus à la veille du crime, sa tente avant le combat, le souffle retenu du héros qui se penche sur son petit serviteur et regarde dormir l'enfant Lucius : « Dors, Lucius... Jouis de la rosée lourd-miellée du sommeil... Assommeur repos, frappe de ta matraque de plomb mon enfant qui succombe... » *Hamlet,* c'est la tragédie même de la nuit, de ses atermoiements, de ses angoisses multipliées. Et lorsque le génie de Shakespeare s'épanouit dans la plus poignante de ses tragédies, *Antoine et Cléopâtre,* il écrit une « Suite anglaise » en nuit majeure. « Éros, désarme-moi. Le dur labeur du jour est fini. Il faut dormir », dit Antoine à son écuyer au terme de la tragédie qui s'achève dans un repos funèbre. « Tout s'égalise et la lune en visitant la terre ne saura plus quoi regarder. »

Le *While* dellérien permet justement de sentir de quelle nuit il s'agit :

One charming night gives more delight
Than a hundred lucky days.
Night and I improve the taste,
Make the pleasure longer last
A thousand several ways.

Ou encore ce morceau, *An Evening Hymn*, dont William Christie a raconté que, lors de l'enregistrement de son dernier disque, *Music for a while / O Solitude*, Alfred Deller le chantait, avec foi, les yeux fermés :

Now that the sun hath veil'd his light,
And bid the world good night,
To the soft bed my body I dispose :
But where shall my soul repose ?
Dear God, even in thy arms,
And can there be any so sweet security ?
Then to thy rest, o my soul !
And singing, praise the mercy
That prolongs thy days.
Halleluia.

Il faut rappeler à quel point entendre la voix de Deller, sortant apparemment du corps qu'il avait, a déstabilisé son époque. Il le dit lui-même : « Je suis un grand gaillard, d'un mètre quatre-vingt-huit et de quatre-vingt-dix kilos. Je suis père de trois enfants. J'ai été bon footballeur et joueur de cricket, fils d'un gymnaste professionnel. Et maintenant, parce que je chante avec un type de voix peu écouté depuis cent cinquante ans, je dois m'attendre à ne pas être considéré comme un homme véritable. » Il faudrait ici prendre au sérieux les effets fort bien étudiés par Nikolaus Harnoncourt du réglage égalitaire du chant après la Révolution française, puis sous Napoléon, dont l'influence a été considérable, jusqu'à marquer, comme on devrait mieux le savoir, Wagner lui-même. Il a fallu très longtemps, par exemple, pour que Mozart soit de nouveau rendu à son enchantement différentiel (Dévotions spécifiques à Clara Haskil et à Elisabeth Schwarzkopf).

Nommé en 1970 par la reine d'Angleterre commandeur de l'Ordre de l'Empire britannique, Deller me fait parfois penser au merveilleux acrobate bleu en équilibre peint par Picasso. Picasso voyait depuis « partout » ; Deller lorsqu'il prend la parole en musique, à cause de cette trouée dans le son, chante enfin comme on devrait sans arrêt continuer de chanter, depuis « partout » et « toujours ». Il accomplit à lui seul le programme rimbaldien de *À une raison* : « Arrivée de toujours, qui t'en iras partout. » Par sa voix, le temps reprend ses pleins droits dans le *While*, c'est-à-dire son immensité furtive – sa foi, son amour.

Bien entendu, l'enchantement nous vient de Shakespeare, raison pour laquelle l'anglais était promis à devenir la langue de communication planétaire, fût-ce sur un mode extraordinairement aplati. C'est cellulairement, consonnes et voyelles réunies, que cette langue, pourtant devancée en nombre par le chinois et l'espagnol, s'est révélée être la seule capable de supporter l'expérience du temps retrouvé.

Écoutez Purcell, chanté par Deller, vous êtes immédiatement dans la magie shakespearienne, qui se dévoile à vous dans l'œil même du cyclone. Ah, « *Fairest Isle, Site of pleasure and of love* »... Il est étrange que les Grecs, ou plus exactement leurs dieux en cours d'exil, se soient un instant posés là. Dans le chaos dévastateur de la Seconde Guerre mondiale, un grand gaillard les a entendus, ces dieux enfuis. Il ne cesse plus de les entendre dans sa voix qui reste réfractaire à l'asservissement du parler humain. Il se donne le loisir d'écouter sa propre voix et de suivre ainsi, j'allais dire à la Tchouang-tseu, sa voie. Il ne trouve pas de raison de se plier au spectacle en cours et ajoute même à sa mauvaise conduite le fait, en plein blitz, d'être objecteur de conscience. Miracle – il n'y a pas d'autre mot – on va se mettre à l'écouter. Quelque chose pivote dans le tympan même et « *Fairest Isle* » tient bon, « *precious stone in a silver see* », comme le dit Richard II. Et là, tendez l'oreille ou ce qui vous en reste, puisqu'on a décidé de vous la boucher, les souffles, les corps, les jours, comme dit *Génie*, les murmures, les douceurs, le bruit des sources, les roses, les fées sont tout à coup à votre disposition. Saluons au passage un très grand poète anglais, né en 1844, comme Nietzsche et Verlaine, enfermé comme bien d'autres au XIXᵉ siècle, un jésuite, tiens ! comme c'est curieux, qui s'était mis dans la tête de casser le verdict d'hérésie attribué à Henry Purcell, entendons Shakespeare. Voici ce qu'il dit de Purcell :

> *C'est la face forgée qui m'atteint, c'est le récit de soi,*
> *De l'abrupt soi-même, là, qui tellement force et*
> *[peuple l'ouïe.*

Dans la grande misère de son temps, Hopkins – comme Deller plus tard dans l'effroyable misère du sien – voit Purcell, entendons Shakespeare, fondre sur lui, comme un grand oiseau. Avec son plumage d'ailes, dit-il, comme une brise d'anges, un grand oiseau d'orage perdu seul sur des grèves de foudre pourpre. Nous sommes là dans le ravissement, c'est-à-dire le rapt, ce qui peut arriver à quelqu'un qui suit sa voie, indépendamment de tous les rassemblements injustifiés. C'est arrivé à Deller. Cela peut se reproduire, si l'on écarte le succès parfaitement fallacieux dont on entoure l'unique et l'inimitable. Écoutez :

> *If music be the food of love*
> *Sing on till I am filled with joy ;*
> *For then my listening soul you move*
> *To pleasures that never cloy,*
> *Your eyes, your mien, your tongue declare*
> *That you are music everywhere.*

Pleasures invade both eyes and ear,
So fierce the transports are they wound,
And all my senses feasted are ;
Though yet the treat is only sound,
Sure I must perish by your charms
Unless you save me in your arms.

Si la musique est la nourriture de l'amour...

Elle sort des mots pour célébrer le don de la joie, « *to celebrate the glory of this day* ». James Joyce ne cherchait-il pas à écouter sur son poste de radio avant la guerre cet air d'Henry Purcell qui lui parle enfin de la joie, *Joy*, c'est-à-dire de lui-même. Hommage d'un grand musicien à un autre.

Deller, Purcell, Shakespeare, sainte trinité. Joyce est avec eux. Et la voix de la nature elle-même. Et qui voyez-vous s'avancer sinon Orphée, puisque les arbres parlent, la langue universelle est trouvée, l'âme du monde circule, l'harmonie est rétablie à travers une merveilleuse machine qui fait tourner à la manière d'un orgue les instruments, les corps, les voix, les graines de la matière et les pollens de l'esprit. Lui couperait-on la tête à cet Orphée, qu'il n'en continuerait pas moins de chanter. Roumî le dit bien, à l'attention des Ménades de tous temps : « Si tu coupes un atome, tu y trouveras un soleil et des planètes tournant alentour. » Alfred Deller – soleil cou coupé – continue donc de chanter. N'importe quel maniaque de la sexinite qui tient désormais l'être humain dans son carcan, n'importe quel imbécile ou n'importe quelle idiote sourd et sourde à l'appel de Vénus, parlera ici, selon le code désormais en vigueur dans nos contrées, de déni de la castration. Manière courante et ô combien facile d'éviter le libre jeu des germes de la nature. Ces germes, comme vous le savez, sont maintenant, et pour longtemps, sous contrôle génétique intégré. Ce n'est plus sainte Cécile, patronne des musiciens, c'est saint Ovocyte. À quoi bon la flèche ? À quoi bon la cible ? On peut certes toujours jouer Shakespeare, interpréter Purcell, mais de là à entendre réellement de quoi il s'agit, il ne faudrait rien de moins qu'une transmutation entière qui n'est pas prévue au programme de la reproduction. L'envers du décor institué par le romantisme tardif n'est que plainte, accusation et paradis perdu. Seuls peut-être les merveilleux improvisateurs de jazz peuvent, en anglais toujours, nous faire signe, de loin en loin, dans leur liberté noire ; il suffit d'entendre Billie Holiday chanter : « *It's funny.* »

Mais voilà que nous écoutons Deller, comme nous entendons Prospero dans *La Tempête* lorsqu'il déclenche par son art, une musique solennelle, « le meilleur réconfort pour un esprit troublé, guérissant un cerveau inutile, en bouillie dans le crâne ». Nous sommes dans le charme, il va fuir, il faut vite le surprendre comme le matin qui gagne sur la nuit, comme la raison en voie d'éclaircie. La magie est violente : elle peut obscurcir le soleil, faire s'insurger les vents, faire place au feu et au tonnerre. Elle peut même réveiller les morts, mais aussi révéler un autre monde, « *a brave new world* ». Il s'agit donc de l'abjurer ou du moins de faire semblant, pour ne pas désespérer le public ; et cette conclusion est très belle. Ce sont les derniers mots de Shakespeare.

C'en est fait à présent de tous mes charmes,
Me voici réduit à moi seul. Et c'est bien peu.
Puisque j'ai pardonné et repris mon royaume,
Ô ne me laissez pas finir dans cette île nue.
Délivrez-moi de moi, et même de mon art :
Ah, prêtez-y vos mains compatissantes.
Ma fin sera le désespoir, à moins d'une prière :
Elle peut seule me sauver, irrésistible
Jusqu'à prendre d'assaut la miséricorde même.
Jusqu'à purifier tous mes péchés.
Pardonnez-moi comme vous voulez être pardonnés.

Le magicien propose aux mortels effarés de lui pardonner, de façon à ce qu'ils ne sifflent pas, puisqu'ils pourraient aussi bien le tuer. La leçon de Shakespeare ? Je vous ai montré la vérité, il ne faut pas m'en vouloir, comprenne qui veut, à bon entendeur salut, vous m'oublierez vite, je fais des miracles pour vous, mais je n'ai aucune illusion, ce sera comme si rien ne s'était passé. Un dieu est venu, il a disparu, bon débarras, mais – ruse du génie – il n'a pas manqué de dire, et telle est la noblesse déchirante de l'action, « pardonnez-moi ».

Comment ne pas entendre, en contrepoint le testament de François Villon ?

Épitaphe

Cy Gist et dort en ce sollier
Qu'un amours occist de son raillon,
Ung povre petit escollier,
Qui fut nommé Françoys Villon,
Oncques de terre n'ot sillon.
Il donna tout, chascun le scet :
Tables, tresteaux, pain, corbeillon.
Gallans, dictes en ce verste :

Rondeau

Repos éternel, donne à cil
Sire, et clarté perpétuelle,
Qui vaillant plat ni escuelle
N'eut conques n'ung brain de percil.
Il fut rez, chief, barbe et sourcil,
Comme ung navet qu'on ret ou pelle.
Repos eternel donne a cil.
Rigueur le transmit en exil,
Et luy frappa au cul la pelle,
Non obstant qu'il dit : « J'en appelle ! »
Qui n'est pas terme trop subtil.
Repos éternel donne à cil.

Pour Shakespeare, le seul salut que l'homme puisse atteindre, c'est la magie d'une parole et d'une musique justes. Le saint des saints de la poésie shakespearienne est sans doute le *Sonnet XXIX* où s'opère en quatorze vers la métamorphose qui nous surprend lorsque *La Tempête* se clôt sur son accent réconcilié, pacifié, sublimement détaché.

Lorsqu'en disgrâce auprès de Fortune et des hommes,
Solitaire, je pleure d'être ainsi rejeté,
Et de cris sans effet harcèle le ciel sourd ;
Que je vois mon état et maudis mon destin,
Souhaitant être semblable à l'un, riche d'espoir,
D'un tel avoir les traits ou les amis nombreux,
Désirant de l'un le talent, de l'autre les chances,
Moi, le moins satisfait de mes dons les meilleurs ;
Si pourtant, me méprisant presque en ces pensées,
Je pense à toi par chance, alors change mon sort,
Et comme l'alouette au point du jour s'élève
Loin du sol triste, je chante à la porte du ciel :

Ton cher amour remémoré me rend si riche
Qu'à l'état d'un roi je préfère le mien.

Mes amis, voilà ce qu'on peut appeler, en entendant le commentaire de Deller avec sa voix « hors de toute race, de tout monde, de tout sexe, de toute descendance », un *ravishing delight*. Vous avez reconnu *Solde* de Rimbaud, où il est question de « richesses jaillissantes ». « Je suis un inventeur bien autrement méritant que tous ceux qui m'ont précédé, un musicien même, qui ai trouvé quelque chose comme la clef de l'amour », dit encore Rimbaud, dans *Jeunesse*.

Deller, saint Alfred le Grand, deuxième de ce nom après le roi du Wessex et des Anglo-Saxons (849-899), auteur de la plus vieille traduction anglaise du Décalogue, s'est saisi de la clef de l'amour. Il l'a ramassée à l'endroit précis où tout le monde l'avait laissée tomber.

Il a retrouvé ce que Rimbaud appelle aussi « les voix instructives exilées » ; il a expérimenté que « la musique savante manque à notre désir » ; qu'il en faudrait une « plus intense » ; qu'il y aurait lieu d'inventer, « pour les malheurs nouveaux », un « chant clair ». Car, « en se promenant au bois, il y a un oiseau, son chant vous arrête et vous faire rougir ». Il vous montre que vous pouvez, vous aussi, trouver soudain « une maison musicale pour notre claire sympathie » ; vous pourriez même constater que « des châteaux bâtis en os sort la musique inconnue », enfin, il pourrait se faire que vous entriez dans « un rêve intense et rapide de groupes senti- mentaux avec des êtres de tous les caractères, parmi toutes les apparences ». Je ne vous parle même pas « des centauresses séraphiques qui évoluent parmi les avalanches », « des fleurs et des bijoux qui nous sont gracieusement proposés », « des bouquets de satin blanc et des fines verges de rubis qui entourent la rose d'eau ». Voici sur ma droite « la foule des jeunes et fortes roses », et croyez-moi, pour nous guérir de la bouillie de notre cerveau, rien de tel que ce traitement de douceur : « Ô douceurs, ô monde, ô musique ! »

Nous voilà remis des « vieilles fanfares d'héroïsmes » qui nous « attaquent le corps et la tête », loin, très loin des anciens « assassins ». Tout cela parce que, vous et moi, nous nous formons « aux applications de calculs et sauts d'harmonie inouïe ». Nous attendons même à bord d'un vaisseau, « après le déluge », qu'un couple de jeunesse s'isole sur l'arche, et qu'avec lui sonnent « les voix reconstituées, l'éveil des énergies chorales ». On

chante, on se poste : il s'agit bien d'une extase harmonique, rendue sensible au cœur, dont personne ne veut
plus au « temps des Assassins ». Voyez Rimbaud tirant
un trait sur la surdité de son temps – mais peut-être de
tous les temps –, s'éloigner ou plutôt s'approcher de qui
le voudrait avec Henry Purcell et le commandeur
Deller, en compagnie de Shakespeare, dans une île
sauvée du naufrage – « c'est cette époque-ci qui a
sombré » –, et là, comment en avez-vous douté, « la
main d'un maître anime le clavecin des prés ».

Je n'ai pas besoin de veaux pour comprendre mes ouvrages, mais de bons yeux bien illuminés ; aux autres, ils ne peuvent rien apprendre, si malins soient-ils.

Jacob Boehme,
Mysterium Magnum.

Pour les autorisations de reproduction des textes cités qu'ils nous ont données, nous remercions les éditions Fayard pour Varlam Chalamov (*La Quatrième Vologda*), les éditions Arfuyen pour Angelus Silesius (*L'Errant chérubinique*), les éditions Rivages pour Friedrich Nietzsche (*Ainsi parlait Zarathoustra*), les éditions GF-Flammarion pour Novalis (*Henri d'Ofterdingen*) et les éditions Gallimard pour Parménide (*Les Présocratiques*, collection « Pléiade »), Hölderlin (*Œuvres*, collection « Pléiade »), Maître Eckhart (*Sermons et traités*) et Tchouang-tseu (*Œuvres complètes*). Les citations de Martin Heidegger sont extraites de ses *Œuvres complètes*.

DU MÊME AUTEUR

Aux Éditions Gallimard

Femmes, roman (Folio n° 1620)
Portrait du joueur, roman (Folio n° 1786)
Théorie des exceptions (Folio Essais n° 28)
Paradis 2, roman (Folio n° 2759)
Le Cœur absolu, roman (Folio n° 2013)
Les Surprises de Fragonard
Rodin, dessins érotiques
Les Folies françaises, roman (Folio n° 2201)
Le Lys d'or, roman (Folio n° 2279)
Le Fête à Venise, roman (Folio n° 2463)
Improvisations (Folio Essais n° 165)
Le Rire de Rome, entretiens
Le Secret, roman (Folio n° 2687)
La Guerre du goût (Folio n° 2280)
Le Paradis de Cézanne
Les Passions de Francis Bacon
Sade contre l'Être suprême, précédé de *Sade dans le temps*
Studio, roman (Folio n° 3168)
Passion fixe, roman (Folio n° 3566)
Éloge de l'infini, essais (Folio n° 3806)
L'Étoile des amants, roman
Liberté du XVIIIe (Folio n° 3756)

DANS LA COLLECTION « À VOIX HAUTE » (CD AUDIO)

Parole de Rimbaud

AUX ÉDITIONS CERCLE D'ART

Picasso le héros

AUX ÉDITIONS PLON

Venise éternelle
Carnet de nuit
Le Cavalier du Louvre, Vivant Denon (Folio n° 2938)
Casanova l'admirable (Folio n° 3318)
Mystérieux Mozart (Folio n° 3845)

AUX ÉDITIONS DESCLÉE DE BROUWER

La Divine Comédie, Entretiens avec Benoît Chantre (Folio n° 3747)

AUX ÉDITIONS SEGHERS

Francis Ponge

AUX ÉDITIONS STOCK

L'Œil de Proust

AUX ÉDITIONS MILLE ET UNE NUITS

Un amour américain

Aux Éditions de la Différence

De Kooning, Vite

Aux Éditions 1900

Photos licencieuses de la Belle Époque

Aux Éditions du Seuil

Romans :

Une curieuse solitude (Points-roman n° 852)
Le Parc (Points-romans n° 878)
Drame (L'Imaginaire-Gallimard n° 227)
Nombres (L'Imaginaire-Gallimard n° 425)
Lois (L'Imaginaire-Gallimard n° 431)
H (L'Imaginaire-Gallimard n° 434)
Paradis (Points-romans n° 879)

Journal :

L'Année du Tigre (Points-romans n° 705)

Essais :

L'Intermédiaire (Points-essais n° 464)
Logiques
L'Écriture et l'expérience des limites (Points-essais n° 24)
Sur le matérialisme
Entretiens de Francis Ponge avec Philippe Sollers (coédition Gallimard)

Aux Éditions Grasset, collection « Figures » (1981)
et aux Éditions Denoël, collection « Médiation »

Vision à New York, entretien (Folio n° 3133)

Cet ouvrage a été réalisé par

FIRMIN DIDOT

GROUPE CPI

Mesnil-sur-l'Estrée

pour le compte des Éditions Robert Laffont
24, avenue Marceau, 75008 Paris
en mars 2003

Cet ouvrage a été composé et mis en pages
par ÉTIANNE COMPOSITION
à Montrouge

Dépôt légal : mars 2003
N° d'édition : 43088/01 – N° d'impression 63173

Imprimé en France